c o l l

L'Heure Plaisir Tic•Tac

▼

Romans jeunesse

Depuis le 1er avril 2004, les Éditions HRW affichent
une nouvelle raison sociale, soit Éditions Grand Duc ■ HRW.

Éditions Grand Duc ■ HRW
Groupe Éducalivres inc.
955, rue Bergar, Laval (Québec) H7L 4Z6
Téléphone: (514) 334-8466 ■ Télécopie: (514) 334-8387
InfoService: 1 800 567-3671

Déjà parus dans cette collection:

Le piano ensorcelé

▼

Mireille Villeneuve

À Laurence, Rafaële et Ève-Line.
Merci pour les histoires du vendredi.

Le piano ensorcelé
Villeneuve, Mireille
Collection L'heure plaisir Tic•Tac

© 2006, **Éditions Grand Duc ■ HRW**, une division du Groupe Éducalivres inc.
Tous droits réservés

Nous reconnaissons l'aide financière du gouvernement du Canada
par l'entremise du Programme d'aide au développement de l'industrie
de l'édition (PADIÉ) pour nos activités d'édition.

ILLUSTRATIONS : Yves Boudreau

CODE PRODUIT 3537
ISBN 2-7655-0056-8

Dépôt légal – 1er trimestre
Bibliothèque nationale du Québec, 2006
Bibliothèque nationale du Canada, 2006

Imprimé au Canada
1 2 3 4 5 6 7 8 9 0 II 5 4 3 2 1 0 9 8 7 6

Table des chapitres

▼

Liste des
personnages de ce récit

▼

Au besoin, consulte cette liste pour retrouver l'identité d'un personnage.

Personnages principaux

Laurence Gagnon-Latour :
> est une grande rêveuse. Elle est très romantique et adore les confidences, surtout celles de sa grand-mère Diana.

Rafaële et Ève-Line :
> les deux jeunes sœurs de Laurence, sont drôles et attachantes. Elles ont une façon bien spéciale de raconter les événements.

Isabelle Gagnon :
> est la mère de Laurence et la fille de Diana. Elle a quelquefois du mal à comprendre les crises de sa fille et les cachotteries de sa mère.

Marc-André Latour :
> est un papa très coloré…
> surtout lorsqu'il vient de
> provoquer une de ses célèbres
> catastrophes culinaires.

Mamie Diana :
> a toujours refusé de parler de
> son passé… jusqu'à maintenant.
> Avant, elle s'appelait Nadia
> Pleyel.

Justine Côté :
> a déjà été la meilleure amie
> de Laurence. Les deux filles
> souffrent toutes les deux
> de ne plus être amies.

Harris :
> est un vieux piano de plus de
> 100 ans, qui a déjà appartenu
> au grand-père de Laurence.

Valentino :
> est un piano à queue bien
> mystérieux. C'est aussi
> le surnom d'un étrange
> jeune homme.

Personnages secondaires

Claudie Ramacici :

a été surnommée miss Chichi. Elle est une vraie faiseuse d'ennuis et aussi une très bonne violoniste.

Guillaume :

enseigne le piano à Laurence et à ses sœurs. Il est aussi un ami de la famille Gagnon-Latour.

Alex : est un jeune garçon un peu timide. Il tente de se lier d'amitié avec Laurence.

Olivier :

est un beau guitariste, qui plaît autant à Laurence qu'à Justine.

Josette et Antoine :

sont les propriétaires de la Galerie du Temps perdu.

Autres personnages du récit

Valérien :
> dit le fainéant

Mr. Jones :
> le professeur d'anglais

L'antiquaire

Isolde Pleyel :
> la mère de mamie Diana

Camille Pleyel :
> un ancêtre de mamie Diana

et, finalement,

Frédéric Chopin :
> un grand compositeur
> et pianiste du 19e siècle

Chapitre 1

Harris a disparu !

— Laurence ! attends-nous…

Lorsque nous revenons de l'école, mes deux sœurs essaient de me suivre. Mais elles n'arrivent jamais à me rattraper. J'arrive toujours la première à la maison.

— C'est parce que tu es plus vieille que nous et que tes jambes sont plus longues, dit Rafaële, avant d'abandonner la course.

— C'est à cause de mes bottes, se plaint Ève-Line. Elles sont tellement lourdes !

Avec cette neige collante, c'est comme si je courais avec des jambes d'éléphant.

Moi, je cours comme une gazelle, parce que j'ai hâte de retrouver Harris. J'ai toujours plein de choses à lui raconter.

Mon ami a presque 100 ans. Ses dents en ivoire ont beaucoup jauni et plusieurs chats ont fait leurs griffes sur ses jambes de bois. Mais mon vieux piano à la voix éraillée est le meilleur des confidents.

Aujourd'hui, j'ai un secret à lui confier. Depuis quelques jours, ma meilleure amie est vraiment bizarre. Je crois que Justine Côté me cache quelque chose. Je l'ai même surprise en train de parler à miss Chichi dans mon dos.

Aussitôt entrée chez moi, je me secoue et fais tomber mes vêtements par terre.

— Kaï! kaï! gémit ma chienne, qui a reçu une mitaine mouillée sur le museau.

Je passe ma main sur son dos.

— Excuse-moi, Charlotte !

— Miaou ! fait mon chat Pedro pour attirer mon attention.

Il aimerait bien que je m'occupe un peu de lui. Je lui lance mon écharpe rouge et je file vers le salon en fredonnant la première pièce que je vais jouer sur mon vieux piano.

En entrant dans la pièce où se trouve mon ami Harris, je m'arrête subitement. La pauvre Charlotte, qui me suit de près, heurte son museau contre mes jambes.

— Kaï ! kaï ! hurle-t-elle de nouveau.

Je me mets à crier encore plus fort qu'elle :

— Maman ! maman ! Harris a disparu !

C'est incroyable ! Pourtant, il était encore là ce matin… Un piano de plusieurs centaines de kilos ne disparaît pas ainsi ! Même le meilleur cambrioleur ne peut réussir un tel exploit en plein jour sans se faire remarquer.

Ma mère, Isabelle, entre dans le salon. Elle s'approche et passe un bras autour de mes épaules.

— Je comprends ton étonnement, Laurence.

— Où est Harris?

— Nous avons dû le vendre, ma chouette.

— Quoi? Vous avez vendu MON piano? Le piano sur lequel papi Léon m'a appris à jouer? Pourquoi?

— Mais voyons, Laurence! Tu n'as rien vu? s'étonne ma mère en pointant du doigt l'endroit où se trouvait Harris.

Je remarque soudain la chose immense qui remplace mon vieil ami. C'est un superbe piano à queue, qui occupe la moitié du salon. Le bel instrument noir et brillant ressemble à un grand monsieur vêtu d'une redingote.

— C'est quoi, ça?

— C'est ton nouveau piano. Nous l'avons acheté avec l'héritage de ton grand-père. Le vieux Harris n'était plus assez bon pour une pianiste aussi douée que toi... Viens l'essayer !

Elle m'entraîne jusqu'au piano. Je m'assois sur le banc. Avec beaucoup de soin, ma mère soulève le couvercle qui recouvre le clavier. Le piano a une dentition parfaite. Ses quatre-vingt-huit notes lui font un sourire de vedette de cinéma.

Je suis très impressionnée. Je me sens comme si j'étais devant un étranger. Je lève lentement les mains et pose les doigts sur les touches lisses. Rien à voir avec celles de Harris, toutes rugueuses et craquelées ! Lorsque j'enfonce une touche, le son est si éclatant que je sursaute. On dirait que je viens d'entre-choquer deux coupes de cristal.

Au même moment, mes deux sœurs pénètrent dans le salon en poussant des cris d'émerveillement.

— Waouw ! il est vraiment beau.

— Je veux l'essayer.

— Non, moi en premier…

Je laisse la place à mes sœurs. Je quitte le salon et me dirige vers ma chambre. Cette fois, c'est moi qui marche comme si j'avais de grosses bottes couvertes de neige collante.

Je me jette sur mon lit et regarde la photo de mon grand-père posée sur la petite table de chevet. Papi Léon était mon grand confident.

La peine que j'ai aujourd'hui ressemble à celle que j'ai eue lorsque mon grand-père est mort, l'année dernière. Il n'y avait qu'Harris pour me consoler. Lorsque je jouais sur le piano de mon grand-père, je pouvais encore sentir sa présence, comme s'il s'était assis à mes côtés pour m'apprendre une nouvelle pièce.

Je ferme les yeux pour mieux me souvenir. Une mélodie s'insinue dans ma tête. Je lève les mains devant moi pour retrouver la sensation des touches rugueuses sous mes doigts. Aussitôt, je ressens une impression familière. Le contact du vieil ivoire contre le bout de mes doigts me surprend. J'ouvre les yeux.

Autour de moi, tout est différent. Je suis assise au piano avec mon grand-père et le salon est décoré comme si c'était Noël. Mes parents, mamie Diana et mes sœurs nous entourent.

— Jouez *Mon beau sapin que j'aime tes peignures,* nous supplie Ève-Line.

— On dit « ta parure » pas « tes pei-gnures » ! corrige Rafaële.

Mon grand-père me regarde avec un vrai sourire de père Noël.

À son signal, nous entamons la pièce.

Charlotte, qui se reposait sous le banc, lève brusquement la tête et se met à hurler pour nous accompagner :

— *Mon beau sapin…*

— Wouwou ! awouh !

— *Que j'aime ta « coiffure ».*

— Wouf ! wouf !

Je ris tellement que je n'arrive plus à jouer.

Assis bien droit sur son banc, mon grand-père continue de jouer et de chanter, accompagné par les hurlements de Charlotte. Mais la chienne se lasse soudain et se met à renifler.

À mon tour, je détecte une délicieuse odeur. Ça sent le fameux pâté de lapin de ma grand-mère !

— Le repas est servi !

Tout le monde se lève et se dirige vers la cuisine. J'aimerais bien les suivre, mais je n'y arrive pas. Mes doigts sont liés aux touches d'ivoire, comme s'ils étaient attirés par un aimant. Je n'arrive plus à les décoller.

— Laurence ! as-tu compris ? Le repas est servi, insiste ma mère en cognant à la porte de ma chambre.

Je me réveille en sursaut.

J'ai fait un rêve vraiment étrange. Mais l'odeur du pâté est bien réelle. Je me lève d'un bond et jette un dernier regard sur la photo de mon grand-père avant de sortir de ma chambre. Le vieux Léon semble me faire un sourire malicieux.

Chapitre 2

C'est une trahison !

Lorsque j'arrive à la salle à manger, toute la famille est attablée. Je m'assois sans un regard pour personne. Je n'ai pas besoin de lever la tête pour savoir que tous les yeux sont tournés vers moi. Pour passer le temps, j'aligne les petits pois avec le bout de ma fourchette et en fait un long collier.

Ma mère dépose un morceau de pâté de lapin au milieu de mon assiette.

Je regarde le pâté. Même si c'est mon mets préféré, je n'arrive pas à avaler une seule bouchée. Je repousse mon assiette en soupirant.

— Je n'ai pas faim.

Mamie Diana pose la main sur mon bras.

— Alors, Chopinette, aimes-tu ton nouvel instrument?

Mes deux sœurs répondent à ma place :

— Je n'ai jamais joué sur un aussi beau piano, s'émerveille Rafaële.

— Au moins, on ne s'accroche plus les doigts dans les fissures ! s'exclame Ève-Line.

Mes sœurs ont sans doute raison. C'est vrai qu'Harris avait quelques petits défauts. Certaines notes refusaient parfois de jouer. Je devrais peut-être réessayer ce nouveau piano...

Aussitôt que je peux quitter la table, je m'installe au piano. Je soulève le couvercle et pose à nouveau mes doigts sur les touches immaculées.

Je veux jouer *Rêverie*. C'est ma pièce préférée. Je l'ai interprétée tant de fois que, normalement, mes doigts bougent sans que j'aie besoin d'y penser.

Lorsque je m'apprête à jouer sur le nouvel instrument, mes mains s'arrêtent au-dessus du clavier. Je ne sais plus par quelle note commencer. À tâtons, je tente de retrouver mon doigté. Le résultat est si affreux que Charlotte et Pedro quittent la pièce en courant.

Ma mère s'est approchée de moi. Elle tente de m'encourager.

— C'est normal que tu aies un peu de mal à t'ajuster. Ce nouveau piano est si différent du vieux Harris !

Je baisse la tête pour ne pas qu'elle voie mes yeux pleins de larmes. Moi qui aimais tellement jouer sur mon vieux piano !

— Je n'y arriverai jamais.

— Mais si, voyons ! Ne t'en fais pas, tu vas t'habituer…

Soudain, j'ai un éclair de génie. J'espère qu'il n'est pas trop tard !

— Maman, est-ce qu'on pourrait reprendre Harris et le mettre dans ma chambre ? Mes sœurs se plaignent toujours qu'elles n'ont pas assez de temps pour répéter. Si j'avais mon propre instrument, elles pourraient jouer plus souvent…

— Mais nous avons déjà vendu le vieux piano ! D'ailleurs, il n'est pas bien loin, ce sont les parents de Justine qui l'ont acheté.

Maintenant je comprends tout ! Je revois le regard triomphant de Justine Côté à l'école, aujourd'hui. Mon amie a toujours été un peu jalouse de mon talent. Elle se fâchait souvent lorsque je choisissais de jouer du piano plutôt que de m'amuser avec elle.

Je regarde ma mère avec des yeux

furieux. D'un geste plein de rage, je referme le couvercle du piano.

— Tu aurais pu m'en parler avant de vendre MON piano !

Je me lève et traverse le salon en faisant claquer les semelles de mes souliers.

— Laurence ! téléphone ! C'est ton prof de piano ! crie mamie de l'autre bout de la maison.

— Allô ?

— Salut, Laurence ! C'est Guillaume. Ta mère m'a dit que tu avais reçu un beau cadeau…

— Mouais !

— Chanceuse ! J'aimerais bien avoir un piano comme le tien. Est-ce que tu permets que je vienne demain ? J'ai hâte d'entendre tes pièces de concert sur ton nouvel instrument.

En entendant mon professeur me parler du concert, je me sens très mal. Jamais je n'arriverai à me préparer pour le spectacle de l'école avec cet instrument.

— Laurence ? Tu es toujours là ? On se voit demain après l'école ?

— D'accord.

Lorsque je raccroche, je remarque la pauvre Charlotte cachée sous la table du téléphone. Le museau par terre et les pattes posées sur ses oreilles, ma chienne semble avoir du mal à s'habituer à la voix forte du nouveau piano.

Plinc ! planc ! plonc ! Rafaële et Ève-Line en profitent, car je ne les laisse pas souvent répéter autant.

— C'est mon tour !

— Non, tu as déjà joué deux pièces.

— Maman !

— Wouf ! wouf !

Comme ma chienne, je suis incapable de supporter ce tintamarre plus longtemps.

— Viens, Charlotte ! Allons nous promener.

Charlotte ne se fait pas prier. Elle trottine en silence à mes côtés. Elle n'aboie même pas en approchant de la maison de Justine Côté. Pourtant, les trois chats de mon amie sont postés à la fenêtre et regardent ma chienne d'un air dédaigneux.

Charlotte et moi restons longtemps sur le trottoir devant la nouvelle demeure de Harris. Par la fenêtre ouverte, nous entendons Justine jouer une pièce que je lui ai apprise. Elle fait plusieurs fausses notes, mais la voix douce et grave de Harris me réconforte.

De retour à la maison, je traverse le salon sans un regard pour le nouveau piano.

— Laurence ! enfin ! je te cherchais partout, s'exclame mon père en m'apercevant.

Marc-André, mon père, aimerait bien m'entendre jouer sur le nouvel instrument.

— Excuse-moi, papa…, mais j'ai un tas de devoirs à remettre demain.

Mes parents se regardent d'un air étonné. C'est bien la première fois que mes devoirs passent avant le piano !

C'est aussi la première fois de ma vie que je me sens trahie.

Chapitre 3

La meilleure amie
de Justine

Ce matin, aussitôt que je mets une botte dans la cour d'école, miss Chichi accourt vers moi.

— Salut, Laurence ! Il paraît que tu as reçu un beau piano, minaude la faiseuse d'ennuis.

— Qui t'a appris ça ?

— Bien voyons ! c'est ma meilleure amie… Justine Côté.

— Tu as bien dit TA meilleure amie ?

Je suis très étonnée d'apprendre que Claudie est devenue la meilleure amie de MA meilleure amie. Justine a toujours pensé que Claudie Ramacici était une vraie nuisance. C'est même elle qui lui a donné le surnom de miss Chichi.

— Est-ce que tu savais que je joue du violon depuis l'âge de trois ans ? demande Claudie-Chichi. Justine et moi allons jouer en trio au spectacle de fin d'année.

— Si vous n'êtes que deux, c'est un duo. Il faut être trois pour faire un trio.

— Je sais, mais nous ne pouvons pas te prendre, réplique miss Chichi avec une moue désolée.

Je sens la moutarde me monter au nez. Pour attiser ma colère, la nouvelle meilleure amie de ma meilleure amie ajoute :

— D'ailleurs, nous avons déjà un troisième musicien, un guitariste. Olivier va faire partie de notre trio. Nous lui avons fait passer une audition. Il joue vraiment bien.

En entendant ça, je sens mon cœur se briser en mille miettes. Je sais bien qu'Olivier préfère Justine… et que Justine le trouve à son goût. Le problème, c'est que j'ai souvent les mêmes goûts qu'elle.

Je tourne les talons et m'éloigne de miss Chichi. Je n'ai pas envie d'entendre un mot de plus.

Toute la journée, mon ex-meilleure amie et moi évitons de nous regarder. C'est très difficile et, quelquefois, presque impossible, car nous sommes toutes les deux dans la même classe et utilisons le même casier.

Chaque fois que je passe près de Justine, j'ai une drôle d'impression. On dirait qu'il y a un vide immense entre nous, comme si nous n'existions plus l'une pour l'autre. C'est pire que si nous n'avions jamais été amies.

Au dîner, je m'assois toute seule dans un coin de la cafétéria. J'entends le rire de miss Chichi. Elle le fait sûrement exprès pour rigoler aussi fort et me faire sentir que c'est elle la meilleure amie de Justine Côté.

Mon estomac est noué par la peine et j'ai autant d'appétit qu'une souris qui grignote du carton. Le temps que je finisse d'émietter mon sandwich et de faire des bulles dans mon jus, il n'y a presque plus personne dans la grande salle. Tout en rasant les murs, je vais chercher mon manteau et sors dans la cour de l'école.

Dehors, le soleil éblouissant me donne un bon prétexte pour cacher mes yeux pleins de larmes derrière mes verres fumés.

— La pire des journées ne peut pas être si moche que ça, semble dire le beau temps.

Après l'école, je ne suis vraiment pas pressée de rentrer à la maison. Pendant quelques minutes, mes deux jeunes sœurs marchent en silence à mes côtés, mais bien vite elles se lassent de traîner la patte.

— La première arrivée à la maison…, dit Rafaële.

Mes sœurs s'élancent dans une course folle.

Je les regarde s'éloigner sans tenter de les rejoindre. Je fais un détour pour éviter de passer devant la maison de Justine. Mais même le plus long chemin me paraît trop court… Me voilà déjà devant chez moi.

Chapitre 4

Le livre de Léon

En entrant dans la maison, je suis accueillie par une musique envoûtante. Je me rends au salon sans prendre le temps de me dévêtir. Guillaume continue de jouer comme si je n'étais pas là. Je suis vraiment fascinée d'entendre mon professeur jouer ainsi. Sous ses doigts, les touches obéissent comme à un magicien. Il joue plusieurs pièces, toutes plus merveilleuses les unes que les autres.

Soudain, il s'arrête au milieu d'une pièce.

— Waouw! quel instrument incroyable! s'exclame-t-il en levant la tête vers moi.

Émerveillée, je regarde mon professeur.

— Tu as la bouche grande ouverte comme si tu voulais avaler des notes de musique, plaisante-t-il. Mais si tu veux que je te donne ton cours, tu devrais peut-être enlever tes mitaines.

— Euh... oui, oui, je reviens tout de suite.

À mon retour, Guillaume est à quatre pattes sous l'instrument.

— Incroyable! ne cesse-t-il de répéter en examinant le piano comme si c'était la première fois qu'il en voyait un.

— Alors, qu'en penses-tu?

— J'aimais mieux mon vieux Harris. Même s'il avait des petits défauts, il possédait un beau son grave... comme la voix de mon grand-père Léon.

— C'est vrai que ton grand-père avait une belle voix.

Nous gardons le silence quelques instants. Guillaume a bien connu Léon. Mon grand-père était son professeur de piano et le meilleur ami de son père. Plus tard, lorsque Léon est tombé très malade, Guillaume est devenu mon professeur de piano.

— Je vais t'avouer une chose. Lorsque je suivais mes cours chez ton grand-père, je n'aimais pas son piano, le vieux Harris. Il était si différent du mien… Mais Léon me disait toujours que, pour devenir un bon pianiste, il faut savoir jouer sur tous les pianos. Mais je préfère celui-ci. Allez, vas-y, Lolo ! Fais chanter ce piano.

Encouragée par ses paroles, je pose mes doigts sur le clavier.

— Je ne sais pas quoi jouer.

— Tu pourrais commencer par la gamme de do…

Rien à faire… Je n'arrive même pas à jouer la gamme la plus facile sans me tromper.

— Désolée… ce piano est si nouveau ! On dirait que j'ai peur de le salir ou de l'abîmer.

— Mais il n'est pas neuf du tout ! Regarde.

Guillaume me montre une inscription cachée à l'intérieur du piano. Sur un petit papier, il est écrit : « Pianos Gagnon 1937 ».

— 1937 ! C'est l'année de naissance de papi Léon.

— Ce piano a été réparé en 1937 par monsieur Gagnon… C'était peut-être le père de ton grand-père. Tu te rappelles, Léon racontait souvent des histoires de pianos très anciens que son père réparait.

— Oui, et c'est lui qui avait offert le piano Harris à papi en cadeau de mariage.

— Mais ce magnifique piano est encore plus vieux qu'Harris… Le plus surprenant, c'est qu'il soit resté aussi beau qu'un piano neuf. Il devrait au moins avoir les dents jaunes, s'étonne-t-il en passant la main sur la surface des touches d'ivoire.

Je passe à mon tour la main sur la dentition parfaite du piano. Je caresse les touches comme si je voulais apprivoiser un animal sauvage. Puis, du bout des doigts, j'essaie de jouer la pièce la plus facile que je connaisse.

Rien à faire. La fameuse *Danse des Indiens* ressemble à une parade de pingouins.

De longues secondes de silence suivent la fin du morceau. Je n'ose pas regarder Guillaume.

— Ce n'est pas de ma faute, je n'y peux rien…

Aucune réaction. C'est bien la première fois que mon professeur n'essaie pas de m'encourager ! Il s'est peut-être endormi. Je tourne la tête pour vérifier.

Mais Guillaume ne dort pas du tout. Le menton dans la main et les sourcils froncés, il semble réfléchir très fort. Soudain, un grand sourire égaie son visage.

— J'ai une idée ! Que dirais-tu d'apprendre de nouvelles pièces ?

Il me montre le grand livre sur le lutrin du piano.

— Tout à l'heure, pendant que je t'attendais, j'ai regardé tes livres de musique et j'ai trouvé ceci. C'est ce que je jouais lorsque tu es arrivée.

— Dans mes livres de…, mais je ne l'ai jamais vu ici !

— Il était dans le banc de ton « nouveau » piano.

Je me demande qui a bien pu écrire ces jolies pièces. Sur la première page, je lis :

« *Chants pour Diana,* de Léon Gagnon, août 1957. »

— C'est mon grand-père qui a écrit ça ?

Pour toute réponse, Guillaume s'installe au piano et rejoue les compositions de Léon. Je suis très étonnée. Jamais je n'aurais cru mon grand-père capable de composer de tels chefs-d'œuvre ! Puisqu'il est né en 1937, il avait tout juste 20 ans lorsqu'il a composé ces pièces.

— Je ne comprends plus rien… Mes parents m'achètent un piano neuf, mais on découvre qu'il a été réparé en 1937 et, dans le banc du piano, nous trouvons des chansons que papi a écrites pour mamie.

— C'est très simple ! Ce piano a sûrement déjà appartenu à ton grand-père.

— Tu crois que je saurais jouer ces pièces ?

— Tu pourrais au moins essayer…

Pendant le reste de la leçon, nous regardons les partitions de mon grand-père comme si nous venions de découvrir un mystérieux trésor.

— Eh bien, c'est tout pour aujourd'hui. Cette semaine, tu devrais t'amuser avec ton nouveau piano et ne pas le comparer au vieux Harris.

— D'accord !

— Bon, maintenant tu pourrais demander à Rafaële de venir pour sa leçon.

— Mes sœurs n'ont pas eu leur cours ?

— Je ne les ai pas encore vues… Elles sont revenues de l'école ?

Au même moment, deux cyclones entrent dans le salon.

— Salut ! Nous nous sommes arrêtées chez Justine, explique Rafaële.

— Oui, je lui ai même donné un cours de piano, ajoute la petite Ève-Line avec fierté.

— Justine a dit qu'elle allait nous payer si nous lui donnons des leçons de piano. Je crois qu'elle est très douée…

J'ouvre et je ferme la bouche comme un poisson qui manque d'eau. Avant, c'était moi qui montrais des pièces de piano à Justine. Gratuitement, en plus ! Nous avions même commencé un duo que nous voulions jouer au spectacle de fin d'année à l'école. Maintenant, Justine n'a plus besoin de moi pour apprendre le piano. Ni pour participer au spectacle. Je crois même qu'elle fait tout pour me provoquer.

Pendant que Rafaële et Ève-Line s'exercent à jouer du piano, je m'installe dans le fauteuil préféré de mon grand-père. Pedro en profite pour sauter sur mes genoux. Tout en le caressant, je réfléchis. J'aimerais bien comprendre ce qui est arrivé pour que Justine m'en veuille à ce point.

Tout à coup, un bruit de chaudrons renversés nous fait sursauter. Pedro s'enfuit vers le placard le plus proche et Rafaële s'interrompt au milieu de la pièce qu'elle est en train de jouer.

— Ah non ! s'exclame mon père dans la cuisine.

Chapitre 5

La salle
du Temps perdu

C'est une vraie catastrophe ! Mon
père, Marc-André, a renversé un plein
chaudron de sauce rouge. Les murs et
les planchers en sont couverts, comme
s'il avait fait exploser une tomate de la
grosseur d'une citrouille. Se tenant au
milieu de la pièce, le pauvre semble avoir
pris une douche au jus de légumes.

Nous nous regardons quelques secondes en silence. Puis, nous éclatons de rire sans pouvoir nous arrêter.

Nous en avons pour une bonne demi-heure à tout nettoyer.

— Alors, comment vas-tu l'appeler, celui-là? me demande mon père.

— Appeler quoi?

— Il va bien falloir que tu trouves un nom à ton nouveau piano.

— Je ne sais pas. Je ne le connais pas encore assez bien… Papa, où avez-vous trouvé ce piano?

— Il était dans une vieille maison, au bout du village. Le propriétaire est venu au bureau de l'agence et m'a demandé si je voulais m'occuper de vendre sa maison. Lorsque je l'ai visitée, j'ai tout de suite remarqué ce magnifique piano. L'ancien propriétaire m'a dit qu'il était à vendre.

— Est-ce que tu savais que ce piano était très vieux?

— Il a bien quelques années… cinq ou six ans, d'après l'ancien proprié-taire… Mais il n'en est pas certain, car le piano était déjà dans la maison lorsqu'il y est arrivé.

— Guillaume croit que ce piano est encore plus vieux qu'Harris.

— Quoi ? Mais voyons ! ce n'est pas possible, il a l'air si neuf !

— Il a été réparé par le père de papi en 1937. C'est inscrit, à l'intérieur du piano.

— C'est étrange… Mais, l'important, c'est qu'il joue bien, non ?

Bilibilibip !

— Mon téléphone ! Où est-il ?

— Tiens, papa. Il était tombé dans la marmite.

— Allô ?… oui, c'est moi… Oh, bien sûr… d'accord, je viens vous la porter tout de suite.

Il range son petit appareil dans l'étui d'où il était tombé.

— Je dois retourner à la vieille maison pour remettre une clé aux nouveaux propriétaires. C'est la clé de la pièce où se trouvait le piano. Tu viens avec moi ? Tu pourrais m'aider à choisir des mets chinois, sur le chemin du retour.

— Je viens à condition que tu te laves et changes de chandail… Je n'ai pas envie de me promener en compagnie d'un clown qui jongle avec des tomates !

— Et moi, je n'ai pas envie qu'on me voit ainsi ! Les vendeurs de maisons doivent toujours…

— Oui, je sais papa… faire bonne impression.

Mon père répète toujours cette phrase lorsqu'il se prépare à rencontrer un client.

J'adore l'accompagner lorsqu'il visite des maisons. Je m'imagine des tas d'histoires en observant la façon dont les gens vivent dans leur maison.

Lorsque nous arrivons devant l'ancienne demeure de mon piano, je n'en crois pas mes yeux. On dirait que personne n'a habité cet endroit depuis longtemps.

— Par ici, dit mon père en me prenant par la main. Attention ! l'escalier est tout moisi de ce côté.

Lorsque nous arrivons devant la porte à la peinture tout écaillée, elle s'ouvre avec un grincement sinistre. Un jeune couple souriant nous accueille.

— Ne restez pas sur ce vieux balcon ! Entrez ! dit l'homme.

Sa voix chaleureuse contraste avec ce décor qui me donne froid dans le dos.

Bien que cette maison convienne mieux à une sorcière, Josette et Antoine ont l'air très fiers de leur nouvelle demeure. Ils expliquent à mon père leur projet de rénovation.

— Nous voulons en faire une galerie d'art. Regardez ces hautes colonnes… et l'éclairage naturel que procurent ces immenses fenêtres…

Pendant qu'ils discutent, je fais quelques pas à l'intérieur. Tout est dans un état lamentable. Des craquements inquiétants accompagnent chacun de mes pas et me font sursauter. Bien vite, je viens me réfugier auprès de mon père. Je tire sur la manche de sa chemise.

— Qu'est-ce qu'il y a, Laurence ?

— C'est dans cette maison que tu as trouvé le piano à queue ?

— Eh bien oui ! C'est incroyable, non ? Attends, tu n'as pas tout vu…

Il demande la permission aux propriétaires de me faire visiter la pièce où se trouvait le piano.

— Mais oui ! répond Josette. C'est d'ailleurs la plus belle pièce de la maison.

Elle nous accompagne jusqu'à une porte fermée, tout au bout d'un long couloir sombre. Je vois une étrange inscription en lettres dorées sur le bois de la porte. Même s'il y a très peu de lumière, je parviens à lire : salle du Temps perdu.

Au premier tour de clé, la porte s'ouvre sans bruit.

— Oh ! comme c'est beau ! ne puis-je m'empêcher de m'exclamer.

En pénétrant dans la vaste pièce, j'ai l'impression de plonger dans une autre époque. Des lustres de cristal ornent le plafond. La douce lumière que laissent passer les grandes fenêtres fait étinceler les planchers d'un éclat doré. Mais ce qui m'enchante plus que tout, ce sont les murs de la salle. Chacun est entièrement recouvert de grands portraits. Ces tableaux géants, peints directement sur les murs, représentent des musiciens célèbres. J'essaie de les identifier.

— Le garçon qui joue du clavecin, est-ce Mozart ?

— Oui, c'est bien lui. Et celui-là, tu le reconnais ? me demande Josette en désignant un autre tableau.

— Il a l'air un peu renfrogné… Est-ce Beethoven ?

— Exact ! Regarde, leur nom se trouve au bas des tableaux.

Je fais le tour de la pièce comme si je visitais un musée.

— Lorsque nous sommes entrés dans cette pièce, Antoine et moi avons eu la même idée. Nous avons immédiatement décidé d'acheter cette maison pour y installer une galerie d'art.

— On dirait une salle de concert !

— Je crois qu'elle a déjà eu cette fonction. Mais Antoine et moi préférons les arts visuels. Dans cette pièce, nous allons exposer des sculptures.

Tout en écoutant Josette, je continue d'observer les portraits. Tout à coup, un détail attire mon attention.

— Tiens ! ça, c'est vraiment bizarre.

— Qu'est-ce que tu as vu, Laurence ? demande Josette en s'approchant de moi.

— Regardez ces trois portraits. Lui, c'est Jean-Sébastien Bach, lui, c'est Franz Schubert et cet autre musicien, c'est bien Claude Debussy ? Ces trois compositeurs n'ont quand même pas vécu à la même époque !

— Tu as raison. Regarde, le peintre a inscrit la date de leur naissance sous leur nom… Mais qu'est-ce qu'il y a de bizarre ?

— Eh bien… si Bach a vécu au 17ᵉ siècle et Debussy, au 20ᵉ siècle, comment se fait-il qu'on voit le même garçon derrière eux ?

Mon père s'approche à son tour et observe les trois portraits.

–– Mais oui ! c'est la même personne ! s'exclame-t-il.

— C'est peut-être le peintre de ces tableaux qui a représenté son fils derrière ses compositeurs préférés, suggère Josette.

Mon père continue d'examiner les tableaux. Comme chaque fois qu'il est préoccupé, il se gratte la joue droite.

— Qu'est-ce qu'il y a, papa ?

— Il me semble que j'ai déjà vu ce garçon. Son visage m'est familier…

Un long silence suit cette dernière remarque. Chacun semble chercher une explication à cette mystérieuse exposition de portraits dans une salle où le temps semble n'avoir aucun effet.

Chapitre 6

L'animal endormi

— Maman, est-ce que je pourrais reprendre des mets chinois?

— Mais oui, Laurence! Ton appétit semble enfin revenu!

J'avale le contenu de ma deuxième assiette en trois bouchées.

Ouf! je suis pleine comme un œuf. Pour digérer tout ça, je décide d'aller promener Charlotte.

C'est la première fois que je tourne à droite en sortant de la maison. Je n'ai pas envie de rencontrer Justine ni d'entendre la voix d'Harris. Je dois tirer sur la laisse pour que Charlotte me suive.

— Par ici, Charlotte.

Nous remontons la côte et nous nous dirigeons vers le parc. Charlotte est très excitée par les nouvelles odeurs. Comme il n'y a personne dans le parc, je la détache pour qu'elle puisse se dégourdir un peu les pattes. Soudain, ma chienne prend en chasse un gros écureuil. Oh non ! elle se dirige vers la rue.

— Charlotte ! reviens tout de suite…

Ma chienne continue sa poursuite. Je tente de la rattraper. L'écureuil gris l'entraîne maintenant dans l'ancien quartier de mon village. Après avoir traversé plusieurs terrains, il se réfugie dans un bosquet de ronces. Charlotte s'arrête enfin ! Elle n'ose pas suivre l'écureuil dans ce gros tas d'épines.

J'en profite pour lui remettre la laisse, que je n'aurais jamais dû lui retirer.

Lorsque je me relève, je remarque la maison devant laquelle nous nous sommes arrêtées. C'est la vieille demeure que j'ai visitée avec mon père cet après-midi. Maintenant qu'il fait plus sombre, on remarque moins sa peinture écaillée et ses autres défauts. Les lustres qui l'éclairent à l'intérieur lui donnent l'allure d'un château ancien. Cette maison était sûrement très belle, avant...

— Viens, Charlotte. Il commence à faire noir.

Sur le chemin du retour, je pense à la vieille maison et à la salle du Temps perdu. J'imagine le piano noir au milieu de la pièce. Comme il devait être magnifique !

J'accélère la cadence de mes pas. J'ai hâte de revoir mon mystérieux piano. Cette fois, c'est ma chienne qui a du mal à me suivre. Elle halète en trottinant derrière moi.

Enfin, nous voilà arrivées !

Dans la maison, tout est silencieux. À cette heure, tout le monde chez moi est occupé à faire quelque chose. C'est le meilleur moment pour essayer mon piano.

Je vais au salon et observe le nouvel instrument de musique. Il a l'air d'un animal endormi. Et il paraît en même temps très vulnérable et très puissant. Une belle panthère noire…

Pendant un instant, je m'imagine entrer dans la salle du Temps perdu. Je m'approche du piano. J'imagine le reflet des lustres sur le bois laqué noir du piano.

Je m'assois sur le banc. Je lève la tête et tente d'imaginer ce que j'aurais pu voir, dans la salle du Temps perdu. Une image m'apparaît, plus forte que toutes les autres. Ce sont les trois portraits de Mozart, Schubert et Debussy. Et, aussi, ce mystérieux jeune homme derrière chacun des musiciens…

Un air s'insinue tout doucement dans ma tête. C'est l'une des pièces que Guillaume a interprétées cet après-midi. Mes doigts retrouvent facilement la mélodie, comme si j'avais entendu cette pièce plusieurs fois… Je suis certaine que papi l'a déjà jouée sur le vieux Harris.

Je m'amuse à pianoter le petit bout de mélodie que j'ai dans la tête. Mais je ne me souviens plus du reste…

Tiens ! le livre des *Chants pour Diana* est resté sur le lutrin du piano. Il a peut-être été écrit par mon grand-père, il y a près de cinquante ans.

Ce n'est pas la première fois que je vois un livre de cet âge. Il y en a plein dans l'armoire du salon. Leurs pages sont aussi jaunes que les dents du vieux Harris, et aussi fragiles que les ailes d'un papillon. Mais les pages du livre qui est devant moi sont soyeuses comme celles d'un livre neuf.

Je les tourne doucement et tente de

retrouver la mélodie qui me trotte dans la tête.

— Je t'ai entendue jouer une pièce que je connais, dit mamie Diana.

Elle s'est approchée du piano. Lorsqu'elle pose les yeux sur le livre de musique, elle devient très pâle et s'assoit aussitôt sur le banc, à côté de moi.

— Tu... tu as retrouvé le livre de Léon !

— Il était dans le banc du nouveau piano. Grand-papa a composé ces pièces pour toi, n'est-ce pas ?

Ma grand-mère semble ne pas avoir entendu ma question. Elle tourne lentement les pages du livre. Elle s'arrête sur une pièce intitulée *Le portrait de Nadia*.

— Tiens, écoute, me dit-elle.

C'est la première fois que j'entends ma grand-mère chanter.

— *Toujours je me rappelle*
avoir vu un jour

ton portrait au-dessus de mon piano.
J'ai voulu te rejoindre,
au fond du vieux tableau...

Mamie a vraiment une voix merveilleuse... Et le titre de cette chanson m'intrigue.

— Pourquoi grand-père a-t-il appelé cette chanson *Le portrait de Nadia* ?

— C'est difficile à expliquer... En fait, Nadia, c'est un nom que j'ai déjà porté.

Sur ces mots mystérieux, elle ferme le livre et baisse les yeux. Elle semble soudain très triste.

— Je trouve que tu as une très belle voix.

— Merci, ma Chopinette. C'est grâce à toi que j'ai redécouvert cette mélodie. Je l'avais complètement oubliée.

Mamie regarde alors le piano comme si elle regardait un être aimé.

— ... C'est aussi grâce à Valentino.

— Qui est Valentino ?

Ma grand-mère pousse un long soupir.

Elle regarde le piano et pose ses mains sur les touches.

— C'est lui, Valentino. L'ancien piano de mon père.

Je suis bouleversée.

— L'ancien piano de… ton père?

— Oui, c'est un très vieil instrument. Plus vieux que toi et moi.

Un mouvement dans le coin de la pièce attire notre attention. Nous tournons la tête en direction de l'ancien fauteuil de mon grand-père. Même s'il est dans l'ombre, je suis certaine qu'une personne y est assise.

— Il y a longtemps que je ne t'avais entendue chanter, dit ma mère en se levant du fauteuil.

Elle aussi semble très émue. Elle s'approche de mamie Diana et prend ses mains dans les siennes.

Je crois qu'elles ont besoin d'être ensemble, toutes les deux. Je cède ma place à ma mère et m'éloigne tout doucement du piano.

En sortant du salon, j'aperçois mon père, à demi caché sous l'escalier.

— Tu joues à la cachette?

— Viens voir ce que j'ai trouvé! s'exclame mon père.

Il me montre un petit tableau que j'ai vu mille fois à cet endroit. C'est le portrait d'un jeune homme qui joue du piano devant quelques personnes. Les femmes sont vêtues comme des princesses et les hommes sont très chics, avec leur long veston, leur pantalon ajusté et leurs souliers pointus. C'est sûrement un très vieux portrait! Ça fait longtemps qu'on ne s'habille plus comme ça.

— Attends, tu vas mieux voir avec ça, dit-il en dirigeant le faisceau d'une lampe vers le tableau.

— Il ressemble vraiment aux portraits qui sont dans la salle du Temps perdu!

— Tu as remarqué le pianiste? me demande mon père.

Je le regarde de nouveau. C'est un tout jeune homme. Il a le visage penché sur son instrument. Ses longs cheveux cachent une partie de son visage, mais je le reconnais quand même.

— C'est lui ! C'est le jeune homme que nous avons vu tout à l'heure sur les trois portraits de musiciens…

Je continue d'observer le tableau. Une autre chose me frappe.

— Le piano ressemble vraiment à Valentino.

— Qui est Valentino ?

— C'est le nom de mon « nouveau » piano.

— Tu lui as enfin trouvé un nom !

— Ce n'est pas moi qui l'ai nommé ainsi. C'est mamie Diana, il y a très long-temps.

Mon père me regarde d'un air étonné.

Bilibilibip !

Sauvée par la sonnerie de son téléphone !

Je m'éclipse avant qu'il ne me demande plus de détails sur « l'affaire Valentino ».

Chapitre 7

L'ancien quartier

Enfin samedi! Je suis bien contente de ne pas aller à l'école aujourd'hui. Je n'aurai pas à éviter Justine et miss Chichi.

À la cuisine, mamie Diana fait sa fameuse recette de pain doré.

— Bonjour, mamie!

— Tiens! c'est ma Chopinette d'amour. Mon petit truc pour te réveiller fonctionne toujours! Chaque fois que je fais du pain doré, tu te lèves aussitôt.

Mamie a raison. Je ne peux résister à l'odeur du pain doré.

— Pourquoi voulais-tu me réveiller un samedi matin ?

— Parce que j'aimerais que tu viennes avec moi.

— Tu veux aller magasiner ?

— Non, juste me promener à pied avec toi, Chopinette.

En disant ces mots, ma grand-mère me regarde avec insistance.

— D'accord, je veux bien t'accompagner. Mais à une condition.

— Laquelle ?

— Avant d'y aller, j'aimerais manger trois tranches de pain doré.

Après avoir bien déjeuné, nous enfilons nos manteaux de printemps. Je prends la laisse de Charlotte.

— Je préférerais que tu ne l'emmènes pas… Nous allons peut-être nous arrêter en chemin.

— Où ça ?

— Ah, c'est une surprise, répond ma grand-mère en faisant un clin d'œil. Vite ! allons-y avant que tes sœurs ne veuillent nous suivre.

En sortant de la maison, mamie Diana prend la direction du parc.

Ouf ! nous ne passerons pas devant la maison de ma nouvelle ennemie.

Nous entrons dans le parc et marchons jusqu'à un vieux banc de pierre, sous un arbre immense.

— Lorsque j'étais petite, je venais ici très souvent.

C'est bien la première fois que grand-mère me parle de son enfance. Lorsque je lui pose des questions, elle répond toujours qu'elle ne se souvient plus.

Mamie semble très émue. Elle tire un petit mouchoir de sa poche et essuie ses yeux. Puis, elle continue ses confidences.

— Papa travaillait tout près d'ici. Juste là, en face du parc.

Je regarde dans la direction que

pointe mamie. De l'autre côté de la rue, j'aperçois la boutique d'un antiquaire.

— Est-ce que cette boutique appartenait à ton père ?

Pour toute réponse, mamie fait un tout petit signe de la tête.

Je n'aurais pas dû lui poser une question. Elle va probablement se taire, maintenant…

Soudain, il me vient une idée.

— Mamie, j'aimerais beaucoup visiter cette boutique. On y va ? Allez, s'il te plaît…

— D'accord, allons-y ! dit-elle en se levant avec difficulté. Soudain, elle paraît vieille et fragile.

Je lui offre mon bras, comme j'ai vu faire maman. Nous traversons le parc et pénétrons dans l'ancien quartier de mon village. Nous nous arrêtons devant la boutique. Ma grand-mère ne peut s'empêcher de faire quelques commentaires :

— Avant, c'était plus joli. Personnellement, je préférais l'enseigne de bois à ces néons roses. On se croirait devant une boutique de variétés à un dollar !

Lorsque nous entrons dans la boutique, il n'y a personne pour nous accueillir. Grand-mère et moi faisons le tour du magasin avant d'apercevoir un petit monsieur bien occupé à frotter une ancienne armoire.

— Il ne se donne même pas la peine de nous dire bonjour, chuchote grand-mère d'un ton fâché. Mon père t'aurait déjà offert un sucre d'orge et nous raconterait probablement l'histoire de cette armoire, au lieu de l'astiquer devant nous.

Ma grand-mère n'est pas très bonne dans l'art du chuchotement. L'homme semble nous avoir entendues. Il s'approche de nous.

— Cette armoire a appartenu à l'ancien propriétaire. Elle se trouvait dans sa maison lorsqu'il l'a vendue à mon oncle, en même temps que la boutique.

— Vous… vous êtes le neveu du propriétaire ?

— Je suis devenu propriétaire à la mort de mon oncle. La boutique m'appartient encore, mais j'ai dû vendre la maison. Elle était bien trop grande pour moi et je n'arrivais pas à bien m'en occuper.

Grand-mère détourne le regard. Elle fixe un petit meuble de bois sombre, tout près d'elle.

— Plusieurs de ces meubles se trouvaient dans la maison de mes parents, me confie-t-elle.

— Où elle est, cette maison ? ne puis-je m'empêcher de lui demander.

— Pas très loin d'ici. Il y a bien longtemps que je ne suis pas passée devant. Je ne la reconnaîtrais peut-être pas…

— Oh, elle n'a pas vraiment changé, dit l'antiquaire. Elle a surtout vieilli.

— S'il te plaît, emmène-moi la voir !

— Bon, d'accord, Laurence ! Mais

allons-y tout de suite avant que je ne change d'avis. Au revoir, monsieur.

— Revenez me voir. Je vous promets que j'aurai des sucres d'orge.

Une fois à l'extérieur de la boutique, je ne me gêne pas pour questionner ma grand-mère.

— Ton père était antiquaire ?

— Non, pas vraiment. Il vendait des instruments de musique. C'était un vrai collectionneur. Certains instruments venaient de l'autre bout du monde. D'autres étaient rares, et il y en avait de très anciens.

— Et ta mère, qu'est-ce qu'elle faisait ?

Grand-mère ne semble pas avoir entendu ma dernière question. J'ai beau la répéter plus fort, ça ne sert à rien.

— Mamie, youhou ! Ça va ?

Elle se contente de regarder autour d'elle avec un drôle d'air.

— C'est incroyable ! Tout a changé, dans cette rue. Ces maisons neuves n'y étaient pas. Notre maison à nous se trouvait quelque part par-là, dit-elle en pointant un endroit sombre et boisé que je reconnais.

Nous arrivons devant l'ancienne demeure de Valentino.

— Mamie Diana, c'est ici que je suis venue hier, avec papa. C'est dans cette maison qu'il a trouvé Valentino.

— Oui, je sais, Chopinette. Et c'est dans cette maison que j'ai connu les plus belles années de ma vie. Pauvre maison ! comme elle est affreuse, maintenant…

— Est-ce que mes parents savent que tu as déjà habité ici ?

Mamie fait signe que non. Elle a la tête penchée et je devine qu'elle a beaucoup de peine.

— J'avais 17 ans lorsque nous avons vendu cette maison, me confie-t-elle.

Elle regarde la maison comme si elle essayait de retrouver son passé. J'imagine qu'elle regarde tout un album de souvenirs dans sa tête !

Moi, je ne vois qu'une très vieille maison tout écaillée, qui va bientôt disparaître sous les plantes sauvages.

Soudain, j'aperçois Josette, la nouvelle propriétaire, à quelques pas de nous. Elle nettoie le terrain à grands coups de râteau.

— Bonjour, Josette.

— Hé ! bonjour, Laurence.

Je lui présente ma grand-mère.

Josette nous apprend qu'Antoine et elle ont décidé d'ouvrir leur galerie d'art dans un mois. Ils ont bien du travail à faire ! Elle nettoie le terrain pour respirer un peu d'air frais entre deux nuages de poussière.

— C'est fou tout ce que je découvre sur ce terrain ! s'exclame Josette en désignant un tapis de fleurs de printemps, tout près de nous.

— Venez, je vais vous montrer quelque chose, dit mamie avec un éclat joyeux dans les yeux.

Elle nous guide vers l'arrière de la maison. Tout au fond du terrain, bien entouré par des arbustes, nous découvrons un petit étang. Grand-mère emprunte le râteau de Josette. Elle arrache un gros tas d'herbes mortes. Une statuette de pierre apparaît.

— Je n'en crois pas mes yeux ! s'exclame Josette. Comment saviez-vous qu'on trouverait cette statue ?

— C'est ma mère qui l'a sculptée.

Grand-mère déterre ainsi trois autres statues.

Josette est émerveillée. Elle va chercher Antoine et lui montre les statues du jardin.

Antoine a une idée merveilleuse.

— Madame Gagnon, voulez-vous être notre invitée d'honneur, à l'inauguration de notre galerie d'art ? Vous pourriez nous raconter l'histoire de cette maison et des sculptures de votre mère.

— Il y a bien d'autres œuvres de ma mère, dans cette maison. C'est elle qui a peint les portraits de la salle du Temps perdu. Mais je ne suis pas sûre de pouvoir accepter la place d'honneur que vous voulez m'accorder.

— Mais si, vous la méritez ! assure Antoine.

Ma grand-mère a soudain très hâte de rentrer à la maison. Elle me prend par la main et m'entraîne avec elle.

— Allez, viens, Chopinette !

Nous faisons la moitié du trajet sans échanger un mot. Mais je ne peux pas tenir ma langue plus longtemps.

— Pourquoi ne veux-tu pas être l'invitée d'honneur d'Antoine et de Josette ?

— Il y a trop de choses que je n'ai jamais dites à personne d'autre qu'à Léon !

— Mamie, il est temps que tu nous racontes tes secrets.

Le regard de ma grand-mère se perd à l'horizon, comme si elle voyait quelqu'un s'éloigner. Elle pousse un long soupir avant de parler.

— Je devrai aussi raconter ces secrets à Isabelle. Hier soir, je lui ai appris que Valentino avait déjà été mon piano. Depuis, elle me regarde d'un drôle d'air. J'espère qu'elle ne va pas croire que je perds la boule !

— Ne t'inquiète pas, maman est capable de comprendre beaucoup de choses.

Chapitre 8

Mystère et boule de... crème glacée !

En revenant de l'ancienne maison, nous passons devant le bar laitier.

— Mamie, tu n'aurais pas envie d'un cornet de crème glacée ? Tu pourrais appeler maman et lui demander de venir nous rejoindre. Nous serions plus tranquilles pour parler.

— Bonne idée, Chopinette. J'ai besoin d'un petit réconfort.

Mamie est comme moi. Lorsqu'elle a besoin de réconfort, elle adore manger une sucrerie.

Ma mère vient nous rejoindre aussitôt.

— Pourquoi ne m'as-tu jamais parlé de ton piano ? demande ma mère en s'assoyant devant mamie.

— Ce n'était pas mon piano. C'était celui de mon père. Je vous ai dit qu'il vendait des instruments de musique dans une ville des États-Unis ? C'est là que je suis née, à Buffalo. Mais ma mère, qui était d'origine québécoise, s'ennuyait dans cette grande ville américaine.

— C'est pour ça qu'ils ont emmé-nagé ici ?

— Nous avons déménagé à cause de Valentino.

— À cause d'un piano !

— Oui. Un jour, un inconnu entre dans la boutique de mon père. L'homme raconte qu'il a hérité d'une maison au Québec. Dans cette maison trop grande pour lui, il y a un superbe piano à queue flambant neuf qu'il aimerait bien vendre à mon père. Lorsqu'il montre la photo de l'instrument, mon père le reconnaît tout de suite. C'est un des premiers pianos de Camille Pleyel.

— Pleyel ?

— Oui. C'est le nom d'un artisan qui faisait de superbes pianos, il y a très long-temps. Mon père accepte aussitôt de venir voir l'instrument. Nous avons fait le voyage en train, mes parents et moi. Je ne me rappelle pas grand-chose. J'avais à peine un an. Lorsqu'ils sont entrés dans la grande maison, mon père est tombé sous le charme du superbe piano. Ma mère, elle, a eu un vrai coup de foudre pour cette demeure.

Pendant plusieurs jours, ils sont restés dans cette maison en compagnie de leur hôte. Ils se sont promenés dans ce village qu'ils ne connaissaient pas. Partout où ils entraient, avec leur petite fille d'un an, ils étaient bien accueillis.

À la fin de la semaine, mes parents ont fait une offre à leur hôte. Ils étaient prêts à lui acheter le piano… et la maison. L'homme était tellement content qu'il leur a fait un bon prix. Il a même aidé mon père à trouver un local pour son commerce d'instruments de musique.

— C'est là que mamie m'a emmenée, tout à l'heure. Tu sais, maman, le magasin d'antiquités, à une rue d'ici…

Ma mère est un peu fâchée.

— Est-ce qu'il y a d'autres choses que Laurence a apprises et que je ne sais pas sur ma propre mère ?

— Ne te fâche pas, Isa… Lorsque nous sortirons d'ici, tu sauras tout ce que je lui ai dit.

Mamie révèle à ma mère que la belle maison qu'elle a habitée lorsqu'elle était jeune est celle où Marc-André a trouvé le piano. Elle lui parle aussi des sculptures du jardin et de toutes ces choses que je sais déjà.

Mais ça ne fait pas tant de choses que ça. Je sens que mamie nous cache encore bien des secrets.

— Pourquoi es-tu partie de la grande maison, mamie ?

— Ça, Chopinette, je ne suis pas encore prête à vous le dire.

Mamie commande trois énormes cornets de crème glacée. Elle se dit peut-être que, si nous avons la bouche pleine, ma mère et moi, nous allons arrêter de lui poser des questions.

Chapitre 9

Du courrier de Valentino

Après avoir terminé nos gigantesques cornets, nous montons toutes les trois dans l'auto de ma mère. Lorsque nous entrons chez nous, une forte odeur de chocolat flotte dans la maison.

— Vous avez raté un beau spectacle ! dit Ève-Line en levant son petit nez.

— Tu veux dire un « bon » spectacle…, la reprend Rafaële.

— Moi, je dirais plutôt un spectacle « renversant », fait mon père.

Son chandail blanc est tout moucheté de brun.

— Ah non ! s'exclame ma mère. Tu as encore provoqué une catastrophe culinaire !

— C'était un très beau gâteau au chocolat…, nous informe Ève-Line.

— … juste avant qu'il ne tombe par terre ! termine Rafaële.

— Comment as-tu fait, cette fois ? demande ma mère.

La question s'adresse à mon père, mais ce sont mes deux sœurs qui répondent.

— C'est la faute du piano, nous apprend Ève-Line.

— Oui, nous aidions papa à glacer le gâteau et, tout à coup, nous avons entendu le piano jouer tout seul. Papa a sursauté et il a donné un grand coup sur un des pieds de la table.

— Qu'est-ce que c'est, cette histoire de piano qui joue tout seul ? demande ma mère.

— Ben oui, ça pouvait pas être Laurence, ni nous deux, ni papa, ni…

— C'était peut-être le chat !

— Un chat, ça ne joue pas de la vraie musique…

— Moi, je sais ce que c'est ! dit mamie.

Tous les regards se tournent vers elle.

— Nous avons reçu du courrier, continue-t-elle.

Elle tourne les talons et se dirige vers le salon. Nous la suivons jusqu'au piano.

Mamie soulève le couvercle du banc.

Au fond de celui-ci, il y a un grand livre de musique. Lorsqu'elle le soulève, une enveloppe s'en échappe. Mamie l'attrape au vol. Elle l'examine puis, les lèvres un peu tremblantes, elle dit :

— C'est pour toi, Laurence.

— Ouvre ! ouvre ! s'exclament mes deux sœurs.

Je prends l'enveloppe. Elle est légère et s'ouvre comme les ailes d'un papillon. Au milieu, il y a une feuille translucide. Je la déplie et lis à haute voix :

— « Joyeux anniversaire et bon concert ! » Mais… mon anniversaire n'est que dans trois mois !

— C'est de qui, le cadeau ? demande Ève-Line en se dévissant le cou pour examiner la lettre.

Mais il n'y a rien d'autre ni sur la feuille, ni sur l'enveloppe.

— C'est de la part de Valentino, répond grand-mère dans le silence de la pièce.

— De qui ? demande Rafaële en plissant son nez.

— C'est… c'est le nom du piano.

— C'est un nom bizarre ! dit ma sœur en gardant son nez plissé.

— Moi, j'aime ça, Valentino, fait Ève-Line en clignant des yeux. C'est comme un personnage de contes de fées.

Grand-mère rit doucement.

— Tu as raison, Ève-Line. Ce piano-là est vraiment comme un personnage de contes de fées. Je pourrais vous en raconter plusieurs, de ces contes merveilleux.

Tout le monde regarde grand-mère d'un air fasciné.

— Je sais déjà lequel que je vous raconterais en premier.

Mamie lève le livre de musique que j'ai reçu pour mon «anniversaire» et nous en montre le titre : *Le secret de Valentino.*

Mais avant de commencer cette histoire, nous avons besoin d'une bonne portion de gâteau.

— Je vais aller dans la cuisine chercher celui que j'ai fait hier. Au chocolat, comme le vôtre, dit-elle avant de descendre à l'étage du bas.

Mamie est une vraie magicienne. Un de ses dons consiste à faire apparaître des gâteaux de sa cuisine quand on en a besoin.

 75

Nous voilà tous installés dans le salon avec notre morceau de gâteau et notre verre de lait. Mamie Diana est assise dans le fauteuil de papi Léon. Sur ses genoux, elle tient le livre mystérieux.

— Est-ce que ça commence par « Il était une fois » ? demande Ève-Line.

— Chut ! laisse mamie raconter, gronde Rafaële.

— Il était une fois une petite fille qui vivait dans une très grande maison. Au bout d'un long couloir se trouvait une pièce qu'on appelait la « salle du Temps perdu ». Au milieu de cette salle, un étrange animal semblait dormir en attendant qu'on le caresse. Il était tout noir et se tenait fièrement sur ses quatre pattes. Il était si énorme que, lorsqu'il ouvrait sa bouche, on pouvait lui compter quatre-vingt-huit dents.

La petite fille venait surtout quand il n'y avait personne. Elle s'assoyait sur le banc devant l'animal et elle le caressait très doucement. Les gens l'appelaient « le piano à queue ». Mais la petite fille lui avait donné un autre nom. Elle l'appelait Valentino.

Parfois, son père invitait des gens qui s'assoyaient dans des fauteuils comme celui-ci pour écouter Valentino. La petite fille ne ratait jamais aucun de ces concerts.

Un jour, elle entendit Valentino chanter sans que personne ne le caresse. Elle examina l'animal noir et blanc attentivement. Soudain, sous le couvercle du banc, elle vit sortir un petit bout de papier. Elle tira sur le papier et une grande feuille de musique apparut. Elle courut trouver sa mère pour la lui montrer.

Au-dessus des notes de musique, quelqu'un avait écrit :

À Nadia. Joyeux anniversaire et bon concert !

La mère de la petite Nadia était très étonnée. « C'est curieux, dit-elle, cette personne sait que demain c'est ton anniversaire et que nous allons donner un concert… »

Lorsque le papa de Nadia revint à la maison, il trouva la pièce si belle qu'il décida de la jouer en concert. Le lendemain, pendant que son père interprétait cette pièce magnifique devant tous les invités, Nadia vit apparaître un étrange jeune homme dans un coin de la salle. Entre deux pièces de piano, il s'approcha d'elle et lui souhaita un joyeux anniversaire. Puis il se pencha entre deux fauteuils et disparut.

Après le concert, les invités entourèrent le papa de Nadia pour le féliciter. Tout le monde voulait savoir quelle était cette pièce qu'il avait ajoutée à son programme.

Le pianiste répétait à chacun : « Cette pièce s'appelle *Le secret de Valentino* ».

« Qui est Valentino ? » lui demandait-on. Le pianiste l'ignorait.

Mais la petite Nadia avait deviné que c'était le mystérieux jeune homme de tout à l'heure. Car, parmi tous les invités, il était le seul à savoir que c'était le jour de son anniversaire. Et Valentino, c'était aussi le piano, à qui elle avait donné ce nom secret.

Nadia n'était pas surprise. Elle savait déjà que le piano de la salle du Temps perdu était magique. Une sorte d'animal ensorcelé qui aimait les caresses.

Mamie Diana nous fait un grand sourire pour nous signifier que son histoire est terminée.

— Waouw! elle est belle, l'histoire de Valentino, s'exclame Ève-Line.

— De quoi il a l'air, le garçon qui s'appelle Valentino? demande Rafaële.

— Tiens, regarde, répond ma grand-mère.

Elle ouvre le livre à la première page et nous montre la photo d'un jeune homme habillé en queue de pie. Mon père et moi le reconnaissons tout de suite. C'est le jeune homme des portraits !

— Moi, je la trouve bizarre, l'histoire de mamie, chuchote Rafaële, en levant les yeux au ciel.

Puis, encore plus doucement, elle ajoute :

— Je crois que c'est elle qui a écrit la lettre et mis le livre de musique dans le banc.

Moi, je ne sais pas ce que je trouve le plus bizarre dans cette histoire : un piano qui se transforme en jeune homme, ou mamie Diana qui est aussi Nadia…

Ce que j'ai compris, et qui me semble incroyable, c'est que mamie vient de nous raconter sa propre histoire.

C'est aussi dur à digérer qu'un gros morceau de gâteau au chocolat après un énorme cornet de crème glacée !

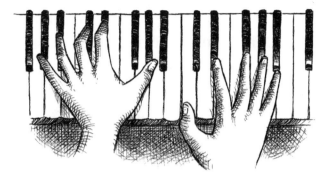

Chapitre 10

Fausses notes et fricassée

Je n'ai pas très bien dormi cette nuit. Je me suis levée trois fois pour aller aux toilettes, deux fois pour ouvrir et fermer la fenêtre de ma chambre, et une fois parce que j'avais cru entendre le piano jouer tout seul. Mais il n'y avait pas de courrier dans le banc du piano…

Ce matin, je me déplace en traînant mes pantoufles sur le sol. Je me laisse tomber sur le gros divan devant la télévision. De chaque côté de moi, mes sœurs avalent d'énormes bouchées de céréales. J'essaie de me concentrer sur l'image, mais je n'y arrive pas.

Je me lève et frotte le plancher avec mes semelles jusqu'au salon.

Je soulève à nouveau le couvercle du banc de piano.

Tiens ! le livre de Léon et *Le secret de Valentino* sont retournés dans le fond du banc.

Ce doit être mamie qui les a rangés à cet endroit. Je prends le livre que j'ai reçu pour mon « anniversaire ».

Je l'ouvre et regarde le mystérieux portrait du jeune Valentino. Ça me rappelle une illustration de l'un de mes livres de contes... Oui, ça me revient, maintenant. C'était l'histoire d'un jeune pianiste qui est devenu un grand compositeur.

Je regarde la pièce attentivement : *Trio pour violon et piano.*

Un trio pour deux instruments. Ce n'est pas possible !

Je prends le livre et cours jusqu'à l'escalier qui mène à l'appartement de mamie.

— Coucou, mamie. Je peux descendre ?

— Oui, ma Chopinette, dit mamie d'une voix lasse.

Lorsque j'arrive en bas, ma grand-mère est étendue sur son divan.

— Est-ce que ça va ?

— Je n'ai pas très bien dormi. Je pensais à tous les secrets que je vous ai dits hier… surtout à toi, Laurence. Puis, à la fin de la nuit, j'allais enfin m'endormir quand j'ai entendu une souris se promener dans le salon, juste au-dessus de ma tête.

— C'était moi, mamie. Moi non plus, je n'ai pas tellement dormi cette nuit. J'ai cru entendre le piano jouer tout seul. Je suis allée voir s'il y avait du courrier, et il n'y avait rien dans le banc du piano.

Mais là, je viens d'aller voir et j'y ai trouvé le livre de Léon et de Valentino.

— C'est moi qui les ai remis dans le banc ce matin.

— J'en étais presque sûre… Mais j'ai trouvé une erreur, dans le livre de Valentino. Regarde, mamie, c'est écrit « Trio pour violon et piano ». Un trio, c'est pour trois instruments, pas deux !

Mamie chausse ses petites lunettes et examine la partition. Tout à coup, son visage s'éclaire.

— Mais si, c'est possible, Chopinette ! Regarde ! il faut être deux pour jouer la partition de piano. Donc, c'est une pièce pour deux pianistes et un violoniste.

— Est-ce que tu sais pourquoi il est écrit « Joyeux anniversaire et bon concert » sur la petite feuille ?

— Oui, je le sais…, mais je ne suis pas sûre que je devrais te le dire.

— Encore un secret ! Allez, mamie ! il faut que tu me dises tout.

— Bon ! ça veut dire que le jeune Valentino aimerait te rencontrer le jour de ton anniversaire… pendant un concert.

— Mais… où il va avoir lieu, ce concert ?

— Ah, ça, je ne le sais pas encore ! Il faut attendre le prochain courrier.

— Le courrier de Valentino ?

— Oui. Mais, cette fois, nous attendons une invitation. Elle devrait arriver par la poste, dans quelques jours.

— Les journées vont sembler longues !

— Pourquoi n'en profites-tu pas pour jouer un peu de piano ? Ça t'occuperait… en attendant Valentino. Viens, allons essayer quelques pièces du livre de Léon.

Nous nous installons au piano. Pendant que mamie chante, j'essaie de l'accompagner.

— *J'ai fait un rêve étrange…*

— Oups ! pardon…

— *Comme un lointain voyage…*

— Désolée…

— *Au fond d'une image…*

— J'ai pas fait exprès…

— *J'ai trouvé…* Hi hi hi !

Chaque fois que je m'excuse, mamie pouffe de rire.

— Arrête de t'excuser, Chopinette !

— Et toi, mamie, arrête de rire…

Nous essayons de nous concentrer. Une mesure, deux mesures… trois fausses notes !

— Désolée…

Cette fois, nous rions toutes les deux. Je ris tellement que j'en attrape le hoquet.

Malgré tout, à la fin de la journée, je réussis à jouer quelques pièces sans trop me tromper. Je me suis à peine rendu compte que mamie n'est plus à mes côtés. Soudain, je sens une présence derrière moi. Une ombre se dessine sur ma partition.

— Oh, Laurence, c'est vraiment beau ce que tu joues…

— Merci, papa. Ce sont des pièces de Léon.

— Excuse-moi de te déranger, mais le repas est prêt. J'ai fait une fricassée.

— Miam ! j'arrive…

Mon père réussit à merveille tous les plats où il faut se tromper dans les ingrédients, casser des choses ou renverser la salière. Après ce merveilleux repas, nous faisons une longue partie de Monopoly.

La dernière journée de congé s'achève et je ne me suis pas trop ennuyée. Mais ce soir, avant de m'endormir, je ne peux m'empêcher de penser à demain. Je ne suis pas pressée de revoir Justine et miss Chichi, mais j'ai bien hâte de voir le courrier de mamie.

Chapitre 11

L'étrange invitation

Ce matin, pendant le cours d'anglais, mon professeur nous demande de nous placer en équipe de deux. Évidemment, Justine Côté se joint à sa nouvelle meilleure amie ! Moi, je me retrouve avec Valérien. Je sais déjà qui va se taper tout le travail…

Si seulement les aiguilles de l'horloge pouvaient tourner plus vite ! J'ai hâte de retourner chez moi. J'ai demandé à mamie si je pouvais venir manger avec elle, ce midi. J'espère qu'elle a reçu du courrier !

— *Five minutes left !*

— Écris plus vite ! me presse Valérien.

Mon « coéquipier » a coincé une bande dessinée sous le couvercle de son bureau. Bien calé sur sa chaise, il lit sa BD pendant que je termine l'exercice.

Je le finis et j'écris mon nom en bas de la page. Je me lève aussitôt, sans laisser le temps à Valérien de signer. Le bras tendu, le fainéant gesticule pour attraper la feuille. Trop tard !

— *Here, Mister Jones.* J'ai fait ce travail toute seule.

Lorsque je reviens à ma place, le grand paresseux m'attrape par le bras.

— As-tu signé « miss Gnagna », sur la feuille ? dit-il assez fort pour que tout le monde entende.

— Miss quoi ?

— Tu ne connais pas ton surnom ? Je l'ai appris par Justine Côté. C'est elle qui t'appelle comme ça. Elle dit que tu es un vrai bébé.

La cloche sonne. Je reste debout à côté de mon pupitre, sans bouger.

— Laurence ?

— *Yes ?*

— *Are you well ?*

— *No...* euh... *yes, Mister Jones.*

Je sors de la classe en marchant comme un zombie. Les corridors sont complètement vides. Je me dirige vers mon casier. Au moment où je m'apprête à l'ouvrir, je remarque un petit billet coincé entre le cadre et la porte. Je déplie le papier et je lis : « Je trouve ça méchant ce qu'elles font, toutes les deux. » C'est signé : « Un ami ».

Tiens ! il me reste au moins un ami dans cette école. Mais j'ai beau regarder autour de moi, je ne vois aucune trace de cet ami mystérieux.

Je me dirige vers la maison en regardant mes bottes. Heureusement qu'il y a une brigadière scolaire au coin de la rue !

— Salut, Laurence !

— Salut, miss Chichi !

— Co… comment m'as-tu appelée ?

— Oh, pardon… Claudie ! Justine Côté ne t'a pas appris ton surnom ? Elle dit que tu es une vraie faiseuse d'ennuis.

C'est à son tour de devenir rouge de colère.

Lorsque j'arrive à la maison, mamie remarque tout de suite que quelque chose ne va pas.

— Qu'est-ce que tu as, Chopinette ?

— Rien… juste quelque chose qui s'est passé à l'école.

J'enlève mon manteau mais, avant qu'il ne tombe sur la chaise, un petit billet s'envole de l'une des poches.

Mamie se penche pour le ramasser et me le donne.

91

En voyant le mot mystérieux, je pense au courrier que mamie attend.

— Alors, mamie, as-tu reçu du courrier ?

— Oui… je crois que c'est l'invitation de Valentino.

— Montre, montre !

Mamie sort une petite enveloppe de son sac à main. Elle ne l'a pas encore ouverte. Dessus, à l'encre noire, il est écrit : Mademoiselle Nadia Pleyel.

— Mamie, il n'a pas mis ton adresse ni de timbre. Comment cette lettre a-t-elle pu arriver par la poste ?

— Je ne sais pas comment fait Valentino. Toutes les lettres que j'ai reçues de lui n'ont jamais eu besoin de timbre pour se rendre dans le sac du facteur. Celui-ci n'avait qu'à tendre le bras et me les donner. Mais, cette fois, ça ne s'est pas passé comme ça.

— Comment alors ?

— Quelqu'un a frappé à la porte ce

matin. C'était le vendeur d'antiquités que nous avons rencontré samedi. Il a trouvé cette enveloppe ce matin dans la vieille armoire qu'il astiquait.

— Tu ne l'ouvres pas ?

— Si ! J'avais bien hâte que tu arrives…

Les mains de mamie tremblent un peu.

— Ouvre-la, toi, dit-elle, en me tendant l'enveloppe.

Le rabat de l'enveloppe se détache facilement.

À l'intérieur, il y a une carte d'invitation toute simple, semblable à l'enveloppe. Toujours à l'encre noire, quelqu'un a écrit :

Vous êtes invités dans trois mois
au concert de Laurence Gagnon-Latour
à la salle du Temps perdu.

Cette fois, ce sont mes mains qui tremblent.

— Mamie, c'est une blague !

— Non, Laurence. C'est très étrange, mais ce n'est pas une blague. Si tu joues dans trois mois à la salle du Temps perdu, je suis certaine que Valentino viendra te voir.

Mamie se précipite sur le calendrier.

— Nous sommes le 12 avril, aujourd'hui.

— Oui, mamie, et dans trois mois, nous serons le 12 juillet.

— Et ce jour-là, tu auras 12 ans.

— Je ne serai jamais prête ! Et il n'y a même plus de piano dans la salle du Temps perdu.

Mamie tente de me rassurer :

— Ne t'inquiète pas. Valentino sait ce qu'il fait. Oh ! Chopinette, regarde l'heure. Il faudrait peut-être que tu manges un peu, avant de retourner à l'école.

Entre chaque bouchée de sandwich, je pose une question à mamie.

— Comment l'antiquaire a-t-il su que tu t'appelais aussi Nadia Pleyel ?

— « Les antiquaires sont parfois de très bons détectives. » C'est ce qu'il m'a répondu lorsque je lui ai posé la question.

— Est-ce que tu vas être la seule à recevoir une invitation ?

— Je ne crois pas.

Après le repas, Mamie me conduit à l'école en voiture pour que je ne rate pas le début des cours.

— Bon après-midi, Laurence. Et ne traîne pas trop après l'école ! Ton piano t'attend.

Chapitre 12

Un ami

J'enfile mes espadrilles sans les délacer et ferme la porte de mon casier d'un coup d'épaule.

C'est à ce moment que j'aperçois Alex, appuyé contre le casier à côté du mien.

— Alex ! Tu m'as fait peur…

— Excuse-moi, Laurence.

Alex est toujours en train de s'excuser. C'est le gars le plus timide des trois classes de sixième année. Exactement le contraire de son meilleur ami, Olivier, le guitariste et prince charmant de Justine.

— Je voulais te remercier de m'avoir invité à ton concert…, mais je ne sais pas où se trouve la salle du Temps perdu.

— QUOI ? Tu… tu as reçu une invitation ?

— Oui… je croyais que c'était toi qui l'avais glissée dans mon pupitre.

— Est-ce que je peux la voir ?

— Tiens, regarde.

Alex me tend une invitation identique à celle de mamie.

— Oh non ! Est-ce que tu crois que d'autres élèves l'ont reçue ?

— Je n'en ai aucune idée. Je l'ai trouvée ce matin, en fouillant dans mon pupitre.

— Alex, est-ce que je peux te demander un service ? C'est très important.

— Je t'écoute…, mais dépêche-toi, parce que la cloche vient de sonner.

 97

— J'aimerais que tu ne parles à personne de cette invitation.

— D'accord !

— Et j'aimerais que tu m'avertisses si tu apprends que d'autres personnes ont reçu la même invitation.

— C'est entendu, je t'avertirai…, mais où se trouve cette fameuse salle ?

— Je t'expliquerai plus tard. Viens ! nous allons être en retard.

Nous filons aussitôt vers la classe.

Cet après-midi, j'ai beaucoup de mal à me concentrer sur mes problèmes de mathématiques. Je passe mon temps à regarder partout pour voir s'il n'y a pas un petit bout d'enveloppe couleur crème qui dépasse d'un pupitre, d'une poche ou d'un sac d'école.

— Qu'est-ce que tu cherches ? As-tu perdu ta sucette, miss Gnagna ?

— Non, mais toi, tu devrais t'occuper de tes oignons, miss Chichi.

La journée d'école se termine enfin,

et je n'ai rien vu de suspect. Je traîne quand même un peu dans la classe pour jeter un dernier coup d'œil dans la corbeille à papier et dans la cage du hamster.

Pas le moindre petit billet. Ça me soulage un peu.

En sortant de l'école, j'aperçois mes deux sœurs, qui ont pris de l'avance. Elles ont l'air très pressées… J'imagine qu'elles vont chez Justine pour lui donner ses cours !

Tiens ! Alex semble m'attendre, de l'autre côté de la rue. J'espère qu'il ne va pas m'apprendre que d'autres élèves ont reçu l'invitation à mon concert.

— Salut !

— Salut, Alex. Alors ?

— Je n'ai pas vu de papiers suspects et je n'ai pas entendu parler d'invitations.

— Ouf !

— Je… je peux faire un bout de chemin avec toi ? De toute façon, on s'en va dans la même direction.

— Ah oui ? Je n'avais jamais remarqué.

— D'habitude, tu es toujours pressée. Pour aller chez moi, je passe devant chez toi, puis je continue jusqu'au parc. Je le traverse et je prends la première rue à gauche. Ma maison est presque au bout.

— La première rue à gauche ? Tu dois rester juste à côté de la vieille maison aux grandes fenêtres.

— À deux maisons, pourquoi ?

— C'est dans cette maison que se trouve la salle du Temps perdu. C'est l'endroit où je suis censée jouer dans trois mois.

— Ça n'a pas l'air de venir de toi, cette idée.

— Non, pas vraiment.

— Est-ce que ça pourrait être un coup monté ?

— J'ai déjà pensé que ça pouvait être ma grand-mère, qui me montait un bateau. Mais plus ça va, moins j'en suis sûre.

— Tu t'es peut-être fait jouer un tour par Justine et Claudie. Je ne les trouve pas très gentilles avec toi depuis quelques jours.

— C'est drôle, j'ai reçu un billet qui disait presque la même chose, dans mon casier. C'était signé « Un ami ».

En disant ses mots, je le regarde pour voir sa réaction.

— Hé… tu ne vas pas penser que celui qui signe « Un ami » pourrait te faire marcher ?

— Non, je voulais juste savoir si c'était bien toi, celui qui signe « Un ami ».

— Ça dépend de toi aussi… bien entendu.

— Moi, je suis un peu déçue de ce qui arrive entre mon ex-meilleure amie et moi. Comment peut-on devenir amie avec quelqu'un et, après, faire comme si cette personne était votre pire ennemie ?

Tout à coup, je sens un flot de peine et de colère monter en moi. Une coulée de larmes sort de mes yeux. Une véritable fontaine ! Je sanglote comme un bébé.

Alex cherche des mouchoirs dans toutes ses poches. Il finit par dérouler son écharpe et tente de m'essuyer les yeux et le nez. Il doit penser que je me prends pour un érable !

Petit à petit, mes sanglots se calment et mes larmes arrêtent de couler.

Alex est toujours là.

Je n'ose pas lui rendre son écharpe, car je m'y suis mouchée à plusieurs reprises.

Sans rien dire, nous marchons jusque chez moi.

— Je… je vais laver ton écharpe.

— Ah, merci…

— C'est moi qui te remercie.

— Non, c'est moi.

Là, il faut que nous arrêtions, parce que nous avons tous les deux la même manie de nous excuser comme si nous avions attrapé le hoquet.

Alex reste planté devant moi. Il me montre la fenêtre du salon. À travers les rideaux, on distingue la silhouette de mon piano.

— Tu as changé d'instrument?

— Oui.

— Il est vraiment beau!

— Il s'appelle Valentino.

— En tout cas, tu joues super bien du piano.

— Merci! D'ailleurs, je ferais mieux d'aller répéter…

Chapitre 13

C'est un coup monté !

Lorsque je pose mes doigts sur les touches, ils se mettent à bouger tout seuls. Sans que je leur demande, ils jouent ma pièce préférée, celle que j'avais oubliée. Cette pièce est vraiment plus belle sur cet instrument que sur le vieux Harris !

Dès que je pose le petit doigt sur la dernière note, des applaudissements me surprennent.

— Bravo, Laurence ! s'exclament mes deux sœurs.

— Tu devrais jouer *Rêverie,* à ton concert, suggère Ève-Line.

— Qui t'a dit que j'allais donner un concert ?

Rafaële me montre un petit carton d'invitation.

— Je l'ai trouvée dans mon sac d'école, m'apprend-elle.

— Et moi, j'ai trouvé la mienne dans ma boîte à lunch, dit Ève-Line.

— Cette histoire de concert ne vient pas de moi ! C'est quelqu'un qui m'a joué un tour.

Boum ! boum ! boum !

Les trois coups de manche à balai nous font sursauter. C'est le nouveau code de mamie, lorsque je reçois un appel.

Je m'empresse d'aller répondre au téléphone.

— Allô ?

— Salut, c'est Alex. Excuse-moi de te

déranger, mais je viens d'apprendre quelque chose d'incroyable.

— Ah oui ?

— Olivier a aussi reçu une invitation…, mais ce n'est pas pour ton concert.

— Ah non ?

— C'est pour le concert de Justine, dans trois mois, à la salle du Temps perdu.

— Quoi ? Elle aussi ?

— Oui. Et elle pense que c'est un coup monté… par toi.

— Ce n'est pas vrai !

— Qu'est-ce que tu vas faire ?

— Je vais changer de nom, comme ma grand-mère.

— Il y a peut-être une autre solution…

— Peut-être… en tout cas, merci de m'avoir avertie !

Je déboule les escaliers jusque chez mamie.

— Mamie ! cette histoire de concert va me rendre folle !

— Tu t'inquiètes pour rien, Chopinette. Tu seras prête, même si tu crois que c'est impossible.

— Le plus incroyable, c'est que je donne un concert le même soir et au même endroit que Justine Côté!

Mamie sert deux grands verres de lait et dépose une assiette de biscuits sur la table. Nous grignotons en silence.

Soudain, elle se lève de sa chaise, va jusqu'au téléphone et compose un numéro.

— Allô? Josette? C'est madame Gagnon, la grand-maman de Laurence Gagnon-Latour. J'ai bien réfléchi à votre proposition de samedi dernier… Oui, j'accepte d'être votre invitée d'honneur pour l'inauguration de votre galerie d'art… Oui, Laurence viendra sûrement, et ses parents aussi. Merci encore! Au revoir!

— Tu as accepté!

— Il ne faut pas avoir peur de revenir sur ses décisions, Chopinette. Je n'ai plus peur, maintenant. Je suis prête à révéler mon plus grand secret… et Valentino en fait partie.

— J'ai bien hâte d'entendre ton grand secret, mamie.

— Moi, j'ai bien hâte d'assister à ton concert.

Je me rends compte que mamie veut conclure une sorte de pacte avec moi. En échange de ses confidences, elle aimerait que je joue à la salle du Temps perdu. J'ignore pour quelle raison, mais ça semble vraiment important pour elle.

— Qu'est-ce que je vais jouer, au concert ?

— Valentino t'a déjà envoyé ce qu'il aimerait entendre, Chopinette.

— Tu veux parler des *Chants pour Diana* et du *Secret de Valentino* ?

Mamie approuve en hochant la tête.

— Il va falloir que je trouve un autre pianiste et un violoniste pour jouer ce fameux trio !

Pour toute réponse, Mamie me passe l'assiette de biscuits. Après quelques bouchées de réconfort, je me lève.

— Moi aussi, j'ai un appel important à faire.

Mamie me tend le petit appareil et je compose un numéro à mon tour.

— Salut, Justine ! c'est Laurence… Il faut que je te parle… Écoute, ce n'est pas moi qui t'ai joué un tour. Moi aussi, je dois jouer au même concert que toi… J'aimerais te proposer quelque chose… Est-ce que je peux venir chez toi ? … J'arrive !

— Je te trouve très courageuse, Laurence. Je sais que tu trouves ça difficile d'aller voir Justine et de t'expliquer avec elle.

— En plus, j'ai un service à lui demander. J'espère qu'elle va m'écouter !

Je mets mon manteau et prends le livre de Valentino. Je marche très vite pour arriver chez Justine avant de changer d'avis. En quelques pas de course, je suis chez elle.

Mon ex-meilleure amie ouvre la porte. Le regard qu'elle me porte est glacial.

Ça ne sera pas facile ! Je suis Justine à l'intérieur de la maison. Dans le salon, elle se laisse tomber dans un gros fauteuil, juste devant Harris. Ma gorge se noue lorsque je vois mon vieil ami.

— Je t'écoute.

— Ça ne vient pas de moi, cette idée de concert. Ça vient de Valentino.

— Valentino ? C'est qui ça ?

— C'est le nom de mon piano, et aussi le nom d'un ami de ma grand-mère…

— Et la salle du Temps perdu, est-ce que tu sais où elle se trouve ?

— Dans l'ancienne demeure de ma grand-mère.

— Au téléphone, tu as dit que tu voulais me proposer quelque chose.

— Nous pourrions jouer ensemble, au concert. Ça serait moins gênant…

Regarde, j'ai apporté une pièce.

Justine regarde le livre et sursaute.

— *Le secret de Valentino*! J'ai trouvé le même livre, dans mon banc de piano. C'est une pièce pour deux pianistes… et un violoniste.

— Est-ce que tu crois que nous pourrions demander à miss… à Claudie?

Justine me regarde en fronçant les sourcils.

— Tu es sûre que ce n'est pas un coup monté, cette histoire de concert?

— En tout cas, pas par moi!

Justine accepte de regarder la pièce avec moi. Je m'assois à côté d'elle devant mon ancien instrument. Au début, c'est un peu décourageant. Nous n'arrivons pas à jouer au même rythme. En plus, le vieux Harris ne semble pas vouloir nous aider. Cette fois, il y a trois notes qui refusent de jouer.

Mais, au bout d'un moment, nos doigts s'habituent. Nous réussissons à jouer la première page.

— Cette pièce est vraiment belle !

— Avec l'aide de Guillaume, nous devrions arriver à bien la jouer.

— Je suis certaine que Claudie acceptera de jouer avec nous, affirme Justine.

Pour la première fois depuis plusieurs semaines, elle me fait un vrai sourire.

Frédéric
Chopin

Chapitre 14

Le secret de Valentino

Aujourd'hui, c'est la première fois que Justine, Claudie et moi jouons notre trio devant mon professeur. Ça nous rend un peu nerveuses.

— Allez-y, je vous écoute.

Je commence la pièce dans la partie la plus grave du piano. J'imite des vagues avec ma main gauche. Puis, Justine fait flotter quelques accords, comme un bateau bercé par les flots. Lorsque

Claudie ajoute son violon, on croirait entendre chanter un oiseau solitaire.

Cette musique est un peu triste, mais tellement belle…

À la fin de la pièce, Guillaume nous félicite.

— Je suis très surpris! Vous avez appris cette pièce toutes seules?

— Oui. Ça fait presque un mois qu'on la répète. Au début, Justine avait un peu de difficulté…

Je coupe aussitôt la parole à miss Chichi pour qu'elle arrête de débiter ses commentaires.

— Nous avons aussi répété une autre pièce… c'est un quatuor.

— Voyons, Laurence! vous êtes trois et il faut être quatre pour jouer un quatuor.

— Je suis là! s'exclame Olivier, qui vient tout juste d'arriver.

— Quelle pièce allez-vous jouer? demande Guillaume.

— C'est un air que nous aimons beaucoup, tous les quatre. Chacun de nous a inventé sa partition.

Nous commençons notre pièce. Mon professeur fait un grand sourire. Il a reconnu *Rêverie*. À quatre musiciens, ma pièce préférée n'a jamais été aussi belle !

À la fin, Guillaume nous applaudit.

— C'est pour quand, ce concert ?

— En fait, il y a deux concerts. Dans un mois, nous allons jouer au spectacle de fin d'année de notre école et, dans deux mois, à la salle du Temps perdu.

— J'ai un peu le trac ! avoue Justine.

Mon professeur nous rassure. Il dit que nous sommes presque prêts. Il nous donne quelques conseils et nous fait travailler certains passages.

Lorsque mes amis partent, Guillaume reste pour écouter mes autres pièces. À la fin de ma leçon, il sort un livre de son sac.

— Regarde ce que j'ai trouvé, dit-il en ouvrant le livre.

Il me montre l'illustration d'un piano qui ressemble comme deux gouttes d'eau à Valentino.

— Il n'existe qu'un seul piano de ce modèle. Il a été construit en 1827. Tiens, regarde.

Guillaume me montre une inscription à l'intérieur, dans la queue du piano. J'aperçois le nom « Pleyel » gravé dans la table d'harmonie.

— Pleyel ! C'est le nom de ma grand-mère.

— Il y a deux cents ans, Pleyel fabriquait des pianos, et c'était un grand ami de Chopin.

Je regarde Valentino comme si je le voyais pour la première fois.

Au même moment, ma grand-mère entre dans le salon. Elle s'approche du piano comme si elle sortait d'un des grands tableaux de la salle du Temps perdu. Elle porte une longue robe bleu ciel.

Mamie est très belle et ne semble pas nerveuse du tout. Pourtant, c'est ce soir qu'elle va nous révéler son plus grand secret.

— Est-ce que tu es prête, Chopinette ?

— Oups ! je vais me préparer.

Nous montons dans la voiture de Guillaume. Il n'est jamais allé dans cette maison. Mais il a bien hâte, lui aussi, de voir l'endroit d'où vient Valentino.

Lorsque nous arrivons à la Galerie du Temps perdu, mes parents et mes sœurs sont déjà là. Ils parlent à Josette et Antoine. Tout le monde est soulagé de voir mamie.

Il y a beaucoup de gens autour de nous. La grande maison est devenue aussi belle que la salle du Temps perdu. J'avance lentement en regardant partout. Il y a des tableaux sur tous les murs.

Un air de violon parvient de la salle du Temps perdu. Je suis Mamie dans cette salle. En voyant les grands portraits, ma grand-mère est saisie d'émotion. Elle les regarde un à un, comme si elle retrouvait des amis. Puis, elle s'arrête longuement devant un grand portrait. Je regarde le nom du compositeur : Frédéric Chopin !

Le violon s'arrête.

Josette s'avance au milieu de la pièce. Tous les invités se sont approchés.

— Bonsoir et bienvenue à la Galerie du Temps perdu. Aujourd'hui, Antoine et moi ouvrons la porte de notre maison pour partager notre passion avec vous. Nous inaugurons notre galerie en vous présentant les magnifiques tableaux de cette salle. L'artiste qui les a peints se nomme Isolde Pleyel. Nous avons invité madame Diana Gagnon pour nous parler des tableaux de madame Pleyel et de cet endroit merveilleux qu'elle a déjà habité.

Mamie me demande de rester près d'elle. Nous approchons de Josette.

— Merci de l'honneur que vous me faites. Au début, je ne voulais pas accepter,

mais je l'ai fait parce que je voulais raconter une histoire à mes petites-filles. Une histoire qui s'est passée ici, dans la salle du Temps perdu. C'est une autre histoire de Nadia et de Valentino.

— Youpie ! s'écrie Ève-Line.

Tout le monde se met à rire doucement.

Mamie attend que le silence soit revenu pour commencer son histoire.

— Nadia a habité cet endroit pendant toute sa jeunesse. À l'époque, la salle où nous nous trouvons était destinée aux concerts. Il y avait un grand piano, auquel le père de Nadia tenait beaucoup. Il avait été fabriqué par son arrière-grand-père, Camille Pleyel.

Le papa de Nadia organisait souvent des concerts dans cette salle. La petite fille n'en manquait jamais un. Elle savait que des choses merveilleuses allaient se produire. Chaque invité arrivait avec un petit carton d'invitation. Nadia connaissait la plupart de ces personnes, mais il y avait aussi des invités mystères. Ils arrivaient un peu comme s'ils sortaient de l'un de ces grands portraits. Parmi ces invités, il y avait toujours le même garçon de 15 ans, qui ne semblait jamais vieillir.

— Celui-là, mamie ? demande Rafaële.

Je regarde dans la direction qu'indique ma sœur. J'aperçois le jeune garçon des trois portraits. Le même que j'ai vu chez moi, sur le petit tableau, et aussi dans le livre de musique. C'est Valentino.

Mamie continue son histoire.

— Lorsqu'elle a vu ce jeune homme pour la première fois, Nadia était toute jeune. Puis, elle a grandi. À l'âge de 15 ans, elle avait une si belle voix que son père lui demanda de chanter à l'un de ses concerts. Le jeune homme apparut. Nadia avait maintenant le même âge que lui.

Ce soir-là, au lieu de disparaître mystérieusement à la fin du concert, il attendit que les invités soient sortis et vint féliciter la jeune fille. Puis, il se mit au piano. Nadia n'avait jamais entendu son piano jouer de cette façon. Autour d'elle, la pièce s'était animée. Il y avait de nouveaux invités, tous habillés d'une façon très ancienne. À la fin du concert, plusieurs vinrent le féliciter avant de disparaître : « Bravo, monsieur Chopin ! » « Ah, Frédéric ! vous êtes mon pianiste préféré. »

Nadia n'en croyait pas ses yeux ni ses oreilles. Celui qu'elle appelait Valentino depuis qu'elle était toute petite, c'était le grand Frédéric Chopin, ce compositeur mort depuis une centaine d'années. Chopin se tourna vers Nadia. Il lui dit que ce piano lui appartenait. À l'âge de 15 ans, il avait donné son premier concert sur ce piano, qui avait été fabriqué pour lui.

Il se passa alors une chose qui n'aurait jamais dû arriver. Nadia tomba amoureuse de Frédéric Chopin… ou plutôt du fantôme qui avait ensorcelé son piano.

Lorsque Nadia eut 17 ans, elle donna un dernier concert à la salle du Temps perdu. Puis elle s'enfuit de chez elle. Lorsqu'elle revint au village, plusieurs années plus tard, elle avait changé de nom et cessé de chanter. La jeune femme ne voulut plus jamais retourner dans la grande maison où se trouvait le piano de Chopin. Et voilà l'histoire que je voulais vous raconter depuis si longtemps.

Mamie regarde les portraits et ajoute :

— Et voici les tableaux d'Isolde Pleyel, la mère de Nadia. Ils furent inspirés par les concerts de la salle du Temps perdu.

Ma mère s'approche alors de mamie et la serre dans ses bras. Mes sœurs et moi l'imitons.

J'entends mamie murmurer à l'oreille de ma mère :

— Maintenant tu sais tout, Isa.

Mais moi, il y a encore une chose que j'aimerais savoir. J'attends que les invités félicitent mamie et qu'ils quittent la pièce.

Nous voilà seules dans la grande salle du Temps perdu. Je peux enfin poser ma question :

— Mamie, comment as-tu rencontré papi ?

— Ça, c'est ma plus belle histoire. Mais je la garde pour une autre fois.

Chapitre 15

Le portrait de Nadia

Depuis que nous sommes devenus amis, Alex et moi revenons toujours de l'école ensemble.

Mais, aujourd'hui, après le bal des élèves de sixième année, il fait noir lorsque nous sortons de l'école.

— Ça fait bizarre de penser que nous ne reviendrons plus dans cette école, dit Alex.

— En tout cas, je me souviendrai toujours de cette dernière journée.

— La journée où tu as gagné le trophée de la meilleure musicienne de l'école.

— Pas seulement moi ! C'est tout le quatuor qui a gagné.

— Vous étiez vraiment bons !

— Merci ! Et toi, tu danses tellement bien…

Nous continuons à nous féliciter et à nous dire plein de choses gentilles jusque chez moi.

— Eh ! regarde, Laurence. Il y a quelqu'un qui t'attend, on dirait.

À travers les rideaux du salon, je vois mamie. Elle est assise sur le banc du piano.

— Bye, Alex.

— Salut, Laurence. À bientôt !

J'entre chez moi et viens m'asseoir à côté de mamie, sur le banc du piano.

Mamie Nadia regarde devant elle. On dirait qu'elle ne m'a pas entendue arriver.

 125

Je lève les yeux à mon tour. Devant moi, au-dessus du piano, il y a un nouveau tableau. C'est le portrait d'une fille qui me ressemble comme deux gouttes d'eau.

— C'est un portrait que ma mère a fait de moi lors de mon premier concert, m'explique mamie. Je l'ai trouvé aujourd'hui… dans le banc du piano.

Sur le portrait, la jeune Nadia Pleyel est debout à côté de Valentino. Au piano, il y a un jeune homme que je crois reconnaître. Ce n'est pas Frédéric Chopin.

— Le jeune pianiste, c'est papi Léon ?

Mamie me fait un grand sourire. Puis, elle me raconte l'histoire que j'attendais depuis longtemps, celle de sa rencontre avec Léon.

— La première fois que j'ai vu Léon, il était venu avec son père pour réparer notre piano. Avant de partir, Léon nous a joué quelques-unes de ses compositions. Mon père et moi étions émerveillés. Nous lui avons demandé s'il voulait bien m'accompagner au piano pour mon premier concert. Léon a accepté. Nous avons ensuite joué ensemble à plusieurs reprises.

— Est-ce que papi a rencontré Chopin ?

— Une seule fois. C'était le jour de mes 17 ans, lors de mon dernier concert.

— Que s'est-il passé ?

— Ce soir-là, après le concert, Frédéric Chopin est resté comme d'habitude. Je lui ai demandé de partir… pour toujours. Il m'a répondu que c'était impossible. Aussi longtemps que ce piano existerait, il reviendrait. Je lui ai dit que puisque c'était comme ça, c'était moi qui partirais. Tout à coup, je me suis rendu compte que nous n'étions pas seuls, dans la salle du Temps perdu. Assis tout au fond de la salle, il y avait Léon, qui nous observait avec de grands yeux incrédules.

— Qu'est-ce qu'il faisait dans la salle ?

— Il voulait m'offrir de l'accompagner en France, pour une tournée de concerts.

— C'est avec lui que tu es partie ?

— Eh oui, Chopinette ! Au début, je pensais souvent à Frédéric Chopin et à Valentino. Mais plus je découvrais le monde, plus j'oubliais la salle du Temps perdu.

— Est-ce que tu aimais papi Léon ?

— De plus en plus. Sa présence à mes côtés me réchauffait comme un rayon de soleil. Ma vie devenait chaque jour plus belle. Lorsque je suis revenue au village, mes parents avaient vendu la grande maison et la boutique d'instruments anciens. Léon et moi avons acheté cette jolie maison que je n'ai jamais quittée depuis.

— Et maintenant que Valentino est dans cette maison, tu n'as pas peur de revoir Chopin ?

— Non, plus du tout, Chopinette.

Ce soir-là, en me couchant, je pense à toutes les histoires de mamie et de Valentino. Je me demande ce qu'il va arriver lorsque je vais donner ce concert, à la salle du Temps perdu. Chopin apparaîtra-t-il ?

Chapitre 16

Une journée
très spéciale

Depuis le début des vacances, Justine et moi nous sommes vues tous les jours. Je lui ai raconté toute l'histoire de mamie et de Valentino.

— Je pense que cette histoire n'est pas terminée, me dit souvent mon amie.

Ce matin, je me fais réveiller par Pedro, qui me donne des petits bisous mouillés sur le bout du nez. On dirait qu'il veut me souhaiter un joyeux anniversaire.

Il est déjà neuf heures! Je saute de mon lit et bondit hors de ma chambre.

La maison ressemble à une fourmilière. Dans chaque pièce, il y a quelqu'un qui prépare quelque chose que je ne dois pas voir.

Ma mère m'apprend que Claudie m'a appelée trois fois depuis ce matin.

J'avais oublié que je devais aller chez elle.

J'avale un croissant en deux bouchées et je saute dans mes vêtements. Avant de partir, je jette un regard inquiet vers le piano, dans le salon. Valentino n'a pas bougé d'un poil. J'espère que les déménageurs engagés par mamie n'ont pas oublié que mon concert a lieu aujourd'hui.

C'est mon père qui me conduit en voiture jusque chez Claudie.

— Tu n'as rien oublié?

— Non, j'ai tout ce qu'il me faut, dis-je en prenant le sac dans lequel ma mère a mis ma robe et mes souliers pour le concert.

— Alors, on se revoit plus tard, à la salle du Temps perdu.

— Bye, papa !

Mes amis sont contents de me voir enfin arriver.

— Tu en as mis du temps ! commente miss Chichi.

— Tu pourrais au moins lui souhaiter un bon anniversaire, dit Olivier.

Nous commençons notre dernière répétition avant le concert. J'ai un tel trac que je me trompe à plusieurs reprises.

— Oups ! excusez-moi… je ne l'ai pas fait exprès… Pardon… je ne le ferai plus…

Ça y est ! j'ai attrapé le hoquet des excuses. Mes amis éclatent de rire, et moi aussi… Ça fait du bien ! En plus, ça ouvre l'appétit. Nous avalons une montagne de crêpes avant de nous habiller pour le concert. J'ai choisi une robe toute simple, du même vert que mes yeux. Mes amis sont très beaux, dans leurs vêtements choisis exprès pour notre concert.

Nous marchons joyeusement jusqu'à la Galerie du Temps perdu. Olivier arrive le premier. Rafaële dirait que c'est parce qu'il a de plus longues jambes !

— C'est curieux, la porte est verrouillée et personne ne répond. Regardez, il y a un petit mot sous la sonnette. Il est écrit :

La galerie est fermée pour toute la journée. Les invités de Valentino sont attendus derrière la maison.

Lorsque nous arrivons dans le jardin, Antoine et Josette nous attendent… à côté d'une calèche.

Josette nous apprend que la salle du Temps perdu s'est transportée ailleurs, pour la journée. Antoine offre de nous y conduire.

Une fois que nous sommes tous à bord, la calèche s'ébranle.

En cours de route, nous nous arrêtons devant la maison d'Alex. Mon ami sort aussitôt de chez lui et monte à son tour.

Je ne suis pas au bout de mes surprises.

La calèche s'arrête aussi devant chez moi. Il n'y a sûrement pas de place pour toute ma famille dans cette voiturette !

— Tout le monde descend ! annonce le cocher.

QUOI ? La salle du Temps perdu se trouve ici ?

La porte de la maison s'ouvre. Ève-Line apparaît et disparaît presque aussitôt à l'intérieur.

— Ils sont arrivés ! Ils sont là ! crie ma sœur.

J'entre dans la maison et me dirige aussitôt vers le salon.

C'est extraordinaire ! La pièce est décorée de la même façon que la salle du Temps perdu. Sur les murs, il y a de grands portraits de moi et de ma famille.

— C'est moi qui les ai dessinés, me dit Rafaële.

Les invités sont tous assis dans des fauteuils identiques à ceux de la salle du Temps perdu. Mon père me tend une grande carte sur laquelle il est écrit :

Joyeux anniversaire, Laurence ! Bon concert !

À l'intérieur, mon père a fait inscrire toutes les pièces que nous allons jouer : *Le secret de Valentino, Rêverie* et *Chants pour Diana.* Pianistes : Laurence Gagnon-Latour et Justine Côté, violoniste : Claudie Ramacici, guitariste : Olivier Boisclair. Chanteuse soprano : Nadia Pleyel.

Le concert commence. J'ai l'impression de rêver. Mes amis et moi n'avons jamais aussi bien joué. Mais le plus beau moment, c'est lorsque mamie se lève et vient chanter les *Chants pour Diana.* Je l'accompagne en caressant

Valentino. Soudain, j'ai l'impression d'être transportée très loin, dans la vraie salle du Temps perdu.

À la fin de la pièce, alors que les gens applaudissent, mamie me pousse du coude et m'indique le fond de la salle. Debout, je reconnais le jeune Frédéric Chopin. Et, dans un fauteuil devant lui, papi Léon, qui nous sourit…

FIN